MALHERIDA

AGENTES DEL FBI JULIA STEIN Y HANS FREEMAN N° 4

RAÚL GARBANTES

Página web del autor:
www.raulgarbantes.com

a amazon.com/author/raulgarbantes
g goodreads.com/raulgarbantes
instagram.com/raulgarbantes
f facebook.com/autorraulgarbantes

Obtén una copia digital GRATIS de *Miedo en los ojos* y mantente informado sobre futuras publicaciones de Raúl Garbantes. Suscríbete en este enlace: https://raulgarbantes.com/miedogratis

ÍNDICE

PARTE I

1

Cypress Road, Luisiana, 13 de julio

TIMOTHY, Diane y la joven Sanna tenían el rostro desecho por el impacto de las balas que recibieron. Dos cada uno, justo en la frente y disparadas a corta distancia. La escena del crimen de los Barthes no salía de mi cabeza. Se trataba de mi primer caso de asesinato múltiple y también el primero que estaba a mi cargo sin Hans.

—¿Por qué asesinar a la familia completa? —fue lo primero que me pregunté cuando me asignaron el caso. El hecho sucedió en la casa de campo de los Barthes, en Cypress Road. Una villa ubicada entre el lago Fausse Pointe y el río Bayou a 70 kilómetros de Morgan City, que era la pequeña ciudad donde residían.

Diane Barthes pertenecía a la familia Vanderbilt, una de las más ricas de la zona y tal vez del país. Eso explicaba la imponente villa donde fueron hallados los cuerpos. Era una lujosa casa de aire francés en toda regla, que había costado más de cuatro millones de dólares y tenía 800 metros cuadrados. No los asesinaron en la ciudad, ni en su residencia en Morgan City, sino que esperaron a que fuesen a la casa vacacional. Allí, cerca de las marismas y entre un bosque de cipreses y robles centenarios, se cometió el hecho. Puede que el asesino necesitara un escenario como ese para sentirse seguro o que sintiera placer al dejar a las víctimas en un espacio tan de cuento de hadas.

La llamada de alerta la hizo un vecino que corría frente a la casa en dirección al bosque, quien notó la puerta de entrada abierta de par en par. Se acercó, llamó, y al no obtener respuesta dio parte a la policía.

Apenas vi la monumental construcción al bajarme del auto me pregunté si los Barthes no habrían recibido invitados en esa enorme y ostentosa casa.

—¿Es que la relación entre Timothy y Diane era tan buena que preferían pasar esos días solos en familia antes que invitar amigos o parientes a su estupenda propiedad? —me pregunté.

Caminé hasta la entrada y me detuve frente a la puerta. Quería comprobar que desde el sendero que conducía al bosque de robles, por donde dijo el testigo haber visto la puerta abierta, podría, en efecto, verse. Eso me pareció y entonces pensé que el corredor decía la verdad.

Escuché las voces de los técnicos forenses provenir de la edificación y entré. Los vi por todas partes. El lugar era enorme. Debía haber al menos quince técnicos intentando cubrir el espacio y buscando huellas y objetos de interés.

Mientras caminaba en el interior de la casa, me pregunté cómo no vieron aproximarse al asesino a través de los ventanales. ¿O lo vieron y no se consideraron en peligro? Tal vez el asesino los esperaba dentro. No identifiqué ningún objeto fuera de lugar en el corredor por donde caminaba. Ni en el

4

recibidor ni en las escaleras que encontré al lado derecho mientras avanzaba.

Continué y al fin llegué al salón.

La escena era desgarradora. Tengo buen estómago para cosas así, sin embargo, vomité. Después, cuando me recuperé, pensaba sobre todo en la chica; era muy joven, y allí estaba con el rostro destrozado y vistiendo unos pantalones cortos color verde claro y una camiseta anaranjada. Esos matices tan alegres me hicieron sentir más pena aún. Es insoportable que a personas que tienen toda la vida por delante se la roben de esa manera. Me prometí atrapar al homicida.

En ese momento, uno de los técnicos se me acercó y me ofreció los protectores para los zapatos. Ya me había puesto los guantes al entrar a la casa, pero para aproximarme al área de mayor interés, cerca a los cuerpos, debía cuidar de no contaminar la escena. Me los puse y me acerqué. Lo que podía ver eran charcos de sangre alrededor de los cadáveres, en las sillas y sobre el mármol azulado de la sala. Pero no había huellas de pisadas, solo las de un gato. El trabajo del homicida había sido limpio.

Los Barthes tenían tres gatos y uno de ellos escapó en el justo momento en que avancé hacia los cuerpos. Los habían sacado de la casa y los mantenían en el jardín mientras esperaban a la perrera municipal. Pero uno de ellos, un siamés con las patas llenas de sangre, debió escapar del control de los chicos y correr hasta llegar al ventanal. Miró a través de los cristales hacia el salón. Con la pata golpeó el vidrio como pretendiendo entrar. Luego uno de los del equipo de apoyo al cuerpo forense lo agarró y se lo llevó consigo.

Reparé entonces en una cesta para gato que estaba debajo de la mesa central y que tenía las paredes externas manchadas de rojo.

Volví a fijarme en los cadáveres. No podía desembarazarme de la idea de que estaban los tres reunidos conversando en la amplia sala de aquella casa de ensueño. Incluso la forma como se hallaban, y sin considerar las caras destrozadas, era demasiado correcta; como si el asesino los hubiese obligado a mantener una postura determinada. El cadáver de Timothy Barthes se hallaba sobre el sofá, junto a una mesita donde había un puro a medio terminar, el envoltorio de algún tipo de dulce y un vaso de *whisky*. El de Diane en un sillón, con una pierna cruzada sobre la otra, cubierto con un vestido negro que dejaba ver la parte externa de sus muslos. Y el de Sanna en una silla de diseño junto al sillón donde estaba Diane, vestido con esos colores tan alegres.

El homicida los asesinó empleando un rifle semiautomático y descargando dos balas en cada uno de los miembros de esa familia. Uno de los especialistas del equipo se me acercó y me dijo que lo comprobaría luego, pero que le parecía que había utilizado un rifle Browning Bar MK3, con municiones de calibre 9,3 x 62 mm, y que el disparo fue a muy corta distancia. Me dijo que creía que el homicida se había ubicado justo frente a ellos, a cada uno y a menos de dos metros, y que no entendía la ausencia de huellas en el piso porque el patrón del salpicado incluía un área que se veía limpia. Todo indicaba que el asesino la había limpiado con algún tipo de producto especial. El técnico también confirmó que no era necesario haber descargado esa segunda munición porque ya estaban muertos. Supuso que, si el rifle contaba con un dispositivo de recarga de tres o cuatro cartuchos, primero hizo los tres disparos mortales y luego recargó e hizo los otros tres. A menos que fueran dos asesinos con dos armas iguales y cada uno disparara a las víctimas.

Lo escuché con atención y pensé de inmediato que el asesino quería decir algo importante con ese disparo de más; y que significaba mucho para él que las víctimas resultaran con la cabeza y la cara destruidas.

—¿Por qué es tan importante? —me preguntaba en voz baja.

Fue como si alguien hubiese llegado, los hubiese sometido de manera temprana, por lo cual no hubo lucha y todo estaba en su lugar, los hubiese despojado de la voluntad de rebelarse y luego los terminó matando uno a uno en la sala de la casa. Como si nos quisiera decir que no era suficiente quitarles la vida, sino que debía hacerlo con esa carga demoledora, desfigurándolos. O tal vez era movido por el odio hacia alguno de los miembros de la familia y no le era suficiente con matarlo solo a él. Incluso pudo haberlo asesinado de último para que presencie la muerte de sus dos seres queridos.

Además, según lo que decía el experto, había sabido borrar sus huellas de la escena. Me atrevía a adelantar que no encontraríamos nada allí que nos condujera a él.

Otro golpe en la ventana me sacó de mis cavilaciones. Ahora se trataba de un gato grande, blanco y negro, que también miraba hacia adentro. Lo veía maullar de forma desesperada, aunque no podía oírlo.

El hombre con quien conversaba exclamó algo en relación con los «endemoniados gatos». Pero yo me encontraba ensimismada y no le respondí.

¿Quién además de esos animales querría a los Barthes? ¿Quién los odiaría hasta el extremo de asesinarlos así? Necesitaba saber mucho más sobre ellos. Más de lo que había averiguado de camino a Cypress Road.

Cuando salí de la villa ya se encontraban allí las cámaras de televisión y una decena de periodistas intentando que les dijera algo. Buscaban a toda costa una declaración. Uno de ellos hasta me puso el micrófono junto a la boca.

—¿Es verdad que se trata de un asesino que va por las familias adineradas? —preguntó hablando veloz.

Yo continué sin mirarlo.

Cuando me alejé, escuché lo que comentaban sobre mí.

—Es la agente encargada del FBI que ha venido directo de Washington en un vuelo especial porque se trata de la hija de Vanderbilt, y se llama Julia Stein, pero no ha querido decirnos nada…

2

Apenas me informaron que me encargaría del caso y que debía ir de inmediato al aeropuerto Ronald Reagan, para salir en un vuelo especial hacia un helipuerto en Luisiana, indagué sobre la vida de las víctimas.

Diane Vanderbilt contaba su tercer matrimonio, era una mujer rica y se comportaba como tal tanto en su apariencia como en sus rutinas. Timothy Barthes era diferente. Lo que podríamos llamar un hombre con suerte. No pertenecía a ninguna familia adinerada. Podía decirse que era atractivo en su estilo, pero más común. Imaginé que debía poseer una gran personalidad y buen trato, tal vez demasiado amable con otras mujeres. Esto no solo eran imaginaciones mías, se le veía en las redes sociales en muchas fiestas y en más de una ocasión acompañado de chicas más jóvenes. Y cuando se mostraba así, la expresión de su rostro era diferente a cuando estaba acompañado de su familia o colegas del trabajo.

Comencé a plantearme la tesis de que era un sujeto con dos vidas paralelas: Diane era su proveedora, pero la diversión la encontraba en otra parte. Sin embargo, me atrevía a aventurar que para permanecer casado con alguien de una familia como la de Diane debía cumplir las «reglas» que ella impusiera. Tal vez Timothy se juntó con alguna mujer relacionada con un criminal capaz de asesinarlo no solo a él, sino a su familia entera. O quizás los asesinatos fueron en venganza por algún manejo del padre de Diane. Martín Vanderbilt era el magnate del sistema ferroviario del siglo pasado que conectó Kansas City y Nueva Orleans, y desde antes su familia era poseedora de grandes cantidades de tierras y esclavos. Ahora era el dueño del equipo deportivo Real Pelicans y de varias cadenas de restaurantes distribuidos en el sur del país. La familia Vanderbilt pudo haber acumulado enemigos ocultos. También pensaba en eso.

Investigué a los anteriores esposos de Diane. El segundo se llamaba Albert Preston y el primero y padre de Sanna era Freddy Kerlinger. Era llamativo que Sanna usase el apellido de Timothy y no el de su padre. Eso podía reflejar problemas entre Freddy y Diane, y, habiendo tanto dinero de por medio, pudo crecer un fuerte resentimiento en Kerlinger. Era una posibilidad y pensé que investigar las finanzas de los dos exesposos era necesario.

También había indagado en la vida de Sanna Barthes: estudiaba en la escuela Bayou, la preparatoria de más prestigio de Morgan City, y, por lo que pude deducir de las redes, era de las chicas populares a las que les gusta ser el centro de atención. Tampoco me parecía muy amigable con algunos de los estudiantes de su escuela. En su Facebook noté comentarios despectivos sobre ciertas chicas y chicos. Tal vez me equivocaba, pero me pareció que la relación entre Sanna y su madre no debía ser tan cercana porque en las actividades escolares de la página de la escuela Bay3ou solo se la veía con Timothy.

3

APENAS SALÍA de la villa de los Barthes y me alejaba de los periodistas, recibí desde Idaho una llamada de la agente Alexandra Ramsey del FBI. Me dijo que tres años antes habían asesinado a una familia de tres integrantes en condiciones idénticas; a los Glose. Dos tiros a la cabeza al padre, a la madre y a la hija. Aparecieron sus cuerpos dispuestos en el salón de su casa en Featherville, una villa lujosa vacacional en una zona boscosa junto a un lago, pero cercana a Boise, la ciudad donde residían. La forma como fueron hallados también sugería una especie de «reunión familiar».

Todo era igual: la casa, el bosque, el agua cercana. Y tres miembros: padrastro, madre e hija única. Entonces no era porque Diane era una Vanderbilt o Timothy tuviese un pasado oscuro. Ni siquiera porque la chica hubiese molestado a algún adolescente violento en la escuela, de los que portan armas y son capaces de matar. Todas mis teorías tempranas se fueron por la borda con la llamada de Alexandra Ramsey.

¿Por qué alguien asesinaba familias en sus casas vacacionales? ¿Y por qué había esperado tres años para volverlo a

11

hacer, en el caso de que realmente se tratara del mismo asesino? De pronto sentí ganas de hablarlo con Hans.

Lo que me dijo Alexandra cambiaba la perspectiva del caso. Había que investigar si en realidad se trataba del mismo asesino. Propuse a la agente que viniese a Morgan City y me acompañara en las investigaciones. Los del FBI en Idaho y en Luisiana consideraron adecuada mi petición.

Así que Alexandra llegó a Morgan City dos días después del asesinato de los Barthes y yo la busqué en el Departamento de Policía, donde habíamos quedado.

Cuando la conocí me pareció una mujer fuerte. Era alta y de cuerpo atlético. Llevaba el pelo rubio recogido en una cola baja. Era unos quince años mayor que yo. La saludé cuando entró al auto y ella me respondió con voz grave. Le agradecí que hubiese llegado tan pronto.

—Era lo menos que podía hacer. La muerte de los Glose siempre me ha perturbado porque la chica, la hija de Teresa Glose, era tan joven y…

Dejó la frase inconclusa, pero no era necesario que dijera nada más. Alexandra había experimentado lo mismo que yo al ver el cuerpo de Sanna. Eso me hizo sentir cerca de ella de inmediato.

—Lo sé —respondí.

Conduje por la 182 y tomé la calle Cottonwood tal y como indicaba el GPS. Nos dirigíamos a la casa de los Barthes en Morgan City. Necesitaba ir allí para comprender cómo eran ellos. Las residencias vacacionales mantienen cierto aire de impersonalidad, en cambio, las habituales, en donde vivimos día a día, guardan todas las facetas de nuestro yo, hasta las que no conocemos o no estamos dispuestos a mostrar ante extraños. Sobre todo las habitaciones. Fue de las primeras cosas que aprendí de Hans.

De camino, la agente Ramsey me ponía al tanto del asesinato de los Glose.

—Iban a pasar el verano en Featherville, Idaho. Se trataba de una magnífica casa junto a un lago artificial y allí estaban cuando llegamos, asesinados y prácticamente sin rostro. Siempre sospeché de un encargado de mantenimiento de nombre Alan Turner. Sin embargo, no pudimos probar nada. Solo que este sujeto, un joven de la localidad que contaba veinticinco años, llegó a la casa de Featherville de los Glose y tocó a la puerta en un estado de nerviosismo que luego no pudo explicar. Las cámaras lo captan saliendo de allí. El sospechoso fue visto por varios testigos en un bar de la zona a la hora de los asesinatos y eso nos hizo descartarlo. Llegué a pensar que se podía tratar de varios asesinos bajo la influencia de algún líder, al estilo de Charles Manson. Todas las teorías pasaron por mi cabeza, pero no descubrí nada, y las cámaras no mostraron a nadie más entrar en la casa. Quien lo hizo debió ingresar por la puerta trasera, que no estaba dentro del perímetro de vigilancia. Los cuerpos se encontraron en idénticas condiciones a las de los Barthes. Es el mismo *modus operandi*, escena del crimen, forma de asesinarlos y tipo de arma con la que dispararon. Así que los Glose fueron las primeras víctimas del asesino serial que acaba de volver a atacar aquí, tres años después.

—¿Por qué sospechabas de Turner?

—Aunque no cometiera los asesinatos, parecía estar implicado. Por su actitud cuando lo interrogamos, como si escondiese algo y a la vez se supiese a salvo. Por otro lado, siempre creí que la víctima principal era la hija de los Glose: Lea.

Me extrañó que dijera eso y volteé a mirarla un segundo, lo que fue suficiente para que Alexandra se preocupara por haber quitado la vista de la vía.

—Porque era una chica problemática que solía hacer

«bromas pesadas» en la escuela. No tenía buen comportamiento. Sin embargo, este era manejado por la institución porque su padrastro era de los mayores contribuyentes en la fundación que otorga becas de deporte en Boise. John Glose tenía buenos amigos en la gerencia de los Broncos, el equipo de fútbol. Los Glose eran gente influyente.

—Eso también lo tienen en común ambas familias. Los Barthes también lo eran.

—¿Cómo era John Glose?

—Un hombre atractivo e inteligente.

—Y Timothy también.

—¿Lo ves? Es el mismo asesino que caza al mismo tipo de víctimas.

—Es interesante que hayas usado esa expresión. Muy interesante… la de cazar, me refiero. Tal vez debamos ver al asesino como un cazador. Usa un rifle semiautomático de municiones 9,3 x 62 mm, un Browning Bar MK3, y ese es el rifle más empleado en el mundo para caza de montería y batida. Aunque el asesinarlos dentro de la casa no se corresponde con el perfil de cazador. No se encontraron en la escena señales de lucha ni objetos fuera de lo que parecía su lugar habitual. No les daba oportunidad de moverse ni de huir. Tampoco los llevó al bosque. La mayoría de las mentes criminales que disfrutan de cazar presas permiten que las víctimas corran en espacios abiertos que ellos conocen, y allí los cazan como si fueran ciervos. Pero este asesino ingresa en sus casas y los obliga de alguna manera a permanecer sentados, tal vez prometiéndoles que nada va a pasarles, y luego les dispara. No descarto que los ate y luego, cuando están muertos, les quite las ataduras. Tampoco podían ser amarras muy fuertes porque ni en las muñecas ni en los tobillos los cuerpos presentan marcas.

—Tienes razón. No parece que le brinde placer perseguir

a las presas —dijo Alexandra y continuó— y es metódico. Deja la escena limpia de huellas. No encontramos ningún indicio en la casa de Featherville.

—Lo otro que me llama la atención es por qué les dispara dos veces. Su rifle podría contar con capacidad de recarga de tres o cuatro cartuchos. La primera descarga sería para acabar con ellos, y luego la otra recarga sería para hacer más daño a los cuerpos. Es diestro y sabe de armas. Tal vez se formó entre cazadores o cuidadores de bosque, y salir de caza era de las pocas cosas que le daban placer. ¿Tú crees que se trata de un solo hombre? —le pregunté a Alexandra.

—No lo sé. Cuando pienso en eso, lo hago como si fuera una sola persona. Me digo algunas veces, cuando recuerdo el caso, «¡nunca pude atrapar a ese maldito loco!». Y entonces me doy cuenta de que en mi interior estoy convencida de que se trata de un solo asesino. Pero no es verdad que podamos estar seguros de ello. La muerte de la familia Glose es una espina clavada muy adentro para mí. El responsable está libre y ha vuelto a las andadas.

Me resultó evidente que Alexandra se culpaba por la muerte de los Barthes y que la regla para ella era resolver todos los casos que le asignaban.

—Yo me quedé con Max, el perro de los Glose. Es un *golden* precioso y un buen amigo. Era apenas un cachorro cuando los Glose murieron. Estaba en la casa de Featherville cuando llegué…

—Los Barthes tenían tres gatos y ningún perro, pero también se habían llevado a sus mascotas a la casa vacacional. Otra endiablada coincidencia entre ambos grupos de víctimas —la interrumpí.

En ese momento sonó el celular de Alexandra. Ya habíamos llegado a la residencia de los Barthes, ubicada en una urbanización de grandes casas distantes unas de otras, rodeadas de un área boscosa. Nos bajamos del auto y ella se detuvo para hablar. Supuse que le estaban dando información actualizada sobre el caso de Featherville. Me adelanté un poco y decidí llamar a Hans para preguntarle algo que se me había ocurrido de camino al Departamento cuando iba a buscar a Alexandra. Hans no atendió. Él estaba en Florida, conduciendo un caso de un asesino serial cuyas víctimas eran niños. Pensé que estaba tan metido y obsesionado con aquello que no miraría el celular. Eso era lo típico en Hans. Esperaba que Fátima continuara con él y lograra que en algunos momentos del día pudiese liberarse del peso de nuestro trabajo. De lo contrario, uno podía enfermar o no ser todo lo efectivo que debíamos. Yo lo sabía porque había pasado por eso en nuestro último caso. Las ganas de atrapar al asesino de las chicas me hacían perder capacidad.

Decidí llamarlo luego. No sabía si estaba enterado de que la muerte de los Barthes contaba con un antecedente; el asesinato de los Glose. O que, al menos, eso pensábamos hasta ese momento.

Guardé el celular y esperé a que Alexandra terminara de atender la llamada. En ese momento me dio la impresión de que alguien nos estaba observando.

4

Morgan City, Luisiana, 14 de julio

ALGUIEN OBSERVA por la mirilla de un rifle semiautomático, un Browning Bar MK3 de municiones 9,3 x 62 mm, y una capacidad de recarga de tres proyectiles. En su casa poseía otro rifle de largo alcance que consideraba una joya, un Nesika Long Range. Decidió utilizar el primero porque estaría a menos de veinte metros de sus presas y el Browning pesaba menos que el Nesika.

Conocía la zona, la había estudiado antes de que los Barthes se hubiesen ido a la casa de Cypress Road. A pesar de que se hallaba en la ciudad, aquel era un barrio tranquilo caracterizado por la gran distancia que había entre las casas vecinas. Nadie lo vería. Además, iba a tomar a sus presas desprevenidas.

Veía como una de las mujeres —la de pelo recogido en una cola— se había detenido junto al auto mientras hablaba por teléfono. La otra caminó unos pasos más, tomó su móvil e hizo una llamada.

La persona se encontraba junto a un roble colosal, oculta en el área boscosa. Estaba concentrada en lo que iba a hacer y su mente estaba fijando el instante, como hacen los cazadores antes de disparar. Eso es, volcado por completo al momento del disparo y sin pensar ni percibir otra cosa. Se escuchaban unas ranas cerca, que de pronto comenzaron a croar, pero la persona ni siquiera las oía. También hubo un ruido que hizo un pájaro al aletear. Había llegado el momento de no errar el tiro. Una parte importante de su vida dependía de ello.

La más joven se resignó a que su llamada no fuese atendida, pero entonces miró a la pantalla del celular. Recibía un mensaje del Departamento de Policía: Albert Preston, el segundo esposo de Diane Barthes, fue captado llegando a la casa de los Barthes en Morgan City y tocando a la puerta de manera incesante el mismo día de los asesinatos. Los Barthes ya habían salido hacia la casa del lago en Cypress Road.

La mujer leyó el mensaje y pensó que se trataba de una coincidencia más, aunque no del todo, porque, en el caso de los Glose, el chico sospechoso del que le habló su compañera había llamado a la puerta de la casa de campo y no de su residencia habitual.

—¿Por qué iría Albert Preston a la casa de los Barthes? —se preguntaba mientras continuaba su camino.

De pronto, ella se detuvo porque escuchó algo que provenía de entre los árboles. Luego continuó, pensando que no había sido nada.

La persona que apuntaba el rifle confirmó que era una mujer decidida, segura de sí misma. Se dijo eso cuando vio su manera de andar. Ya había estudiado su vida. Sintió durante un par de segundos una especie de admiración que se extinguió de inmediato para dar paso a la emoción, a la adrenalina suficiente y necesaria para no errar el tiro. La otra mujer terminó de hablar por teléfono y se le acercó a su compañera.

Ahora intercambiaban unas palabras mientras se acercaban a la puerta de la casa de los Barthes.

Ya no quedaba tiempo para seguir observándolas. Apuntó y disparó a Alexandra justo en la cabeza. Recargó y le disparó a Julia.

Y, como esperaba, no erró el tiro.

5

La misma persona que disparó a Julia y a Alexandra el 14 de julio, dos días antes, esperaba a los Barthes en su nueva casa de Cypress Road, donde pasarían sus vacaciones frente al lago. Sabía a qué hora llegarían y ya había planificado su ataque. Los había observado durante horas en su casa en Morgan City. Sabía que, durante las noches, la costumbre diaria era que Diane cocinase la cena y que Timothy sea el primero en sentarse a la mesa, casi siempre a la misma hora. Entonces conversaban un poco y tomaban algo. Al último, y después de varios llamados, aparecía Sanna. Esperaba que la rutina en la casa vacacional fuese la misma. Primero sometería a Diane, luego a Timothy y dejaría a Sanna para el final.

Llevaba su rifle a cuestas. Los escuchó llegar. Aguardó en silencio y vio que la luz de la cocina se encendía a través de la ranura de la puerta del sótano que comunicaba con ella.

Escuchó voces. Eran Diane y Timothy quienes hablaban. Luego se callaron. Entonces pensó que ya Diane estaba sola, preparando la comida. Se coló un olor a salmón y eneldo. Esperó un poco más y luego decidió salir.

Allí estaba ella, ocupada en una salsa para el pescado. La vio de espaldas, vestida con un traje negro que cubría apenas sus muslos.

—No grite ni haga nada que yo no le diga. Si obedece, será mejor.

Diane contuvo la respiración y un grito ahogado salió de su garganta. Una cuchara cayó al suelo.

—Quédate callada —insistió.

Ella obedeció.

—Ahora iremos a la sala, y allí te sentarás en una silla y llamarás a tu esposo.

La mujer caminó aterrada, seguida de la persona que, por detrás, la apuntaba.

No había rastros ni de Timothy ni de Sanna. Solo unos gatos en el salón. Uno de ellos estaba dentro de una cesta y los otros dos sobre el sofá.

Diane se sentó donde le indicaron.

—Llama a tu esposo como siempre lo haces, sin que pueda sospechar mi presencia. Si lo hace, les irá peor.

—¡Timothy, cariño, tienes que venir un momento a la sala! —gritó Diane con voz temblorosa porque no pudo evitarlo.

La persona se mantuvo a unos pocos metros de distancia, apuntándola. Desde donde estaba no era visible, era necesario entrar al salón para verlo.

Escucharon los pasos de Timothy y también unas palabras.

—Dime, Diane. ¿Tan temprano cenaremos? Te he dicho que tengo que enviar unos correos que no pueden esperar porque…

El hombre dejó de hablar cuando vio que alguien apuntaba a su esposa.

—Hola, Timothy. Si haces algo inadecuado, la verás morir

21

de inmediato. Solo tengo que apretar el gatillo, y lo haré sin dudar.

—Está bien. ¿Pero por qué estás haciendo esto…?

Diane tuvo la impresión de que Timothy le hablaba como si lo conociera.

—No he venido aquí a dar explicaciones. Cállate y siéntate en el sofá.

Esperó a que lo hiciera y después varió el blanco de su mira; ahora le apuntaba a él.

—Diane, le servirás una copa a tu esposo. *Whisky*, ¿verdad? Dos trozos de hielo y un poco de agua gasificada si no me equivoco.

La mujer se levantó y se dirigió al bar, que estaba junto al salón. Sus movimientos eran lentos, y varias lágrimas salían de sus ojos. Tenía la impresión de que, de un momento a otro, iba a dispararle y se acabaría todo para ella. Sus manos temblaban cuando tomó el vaso, y no podía contener el llanto. Se obligó a sí misma a permanecer calmada. ¿Por qué estaba pasando eso? ¡Tenía que ser una pesadilla! Llenó el vaso con el *whisky* y el agua gasificada y caminó hasta donde estaba su esposo, blanco de la amenazadora mira del rifle. Él tomó el vaso y lo puso sobre la mesa que había junto al sofá donde se encontraba.

Diane se volvió a sentar.

—Siéntate bien, Diane, túmbate y cruza la pierna, como si estuvieses disfrutando de tu bonita casa. Lo mismo he tenido que decirle a Teresa… —Se calló un segundo como si recordara algo y luego continuó hablando—. Veo que tienes puros, Timothy. Allí en la mesa. Toma uno y ponlo sobre el cenicero. Quiero que ofrezcas una buena impresión, pero no tardes tanto porque todavía falta una invitada.

Uno de los dos lanzó una exclamación de horror. Diane le

pidió que la dejara ir a Sanna. Timothy preguntaba el porqué de querer a Sanna allí.

—Es una niña, no tiene la culpa de nada… —alcanzó a decir Timothy con un tono de voz que sonó particularmente agudo.

La persona que les apuntaba con el rifle sonrió. Le parecía absurdo que dijeran que alguien como Sanna no tenía la culpa de nada.

—Ahora, Timothy, llamarás a tu hija. Porque es tu hija, ¿verdad? Ha querido usar tu apellido y eso está bien. Habla maravillas de ti como padrastro. No puedo decir lo mismo de ti, Diane, porque como madre dejas mucho que desear, siempre con ese rictus tan amargo y exigente. Si las cosas no se hacen como tú las quieres, están mal, ¿verdad? A eso te acostumbró tu familia. ¡Llámala ya! —ordenó, impaciente, mirando a Timothy.

Él obedeció. Pensó que no tenía opción, pero que seguiría intentando convencerlo de que nadie debía salir herido.

Los pasos de Sanna bajando las escaleras no se hicieron esperar después de que escuchó el llamado. Bajaba con rapidez, y en pocos segundos estuvo en el salón. No supo qué decir cuando vio lo que allí sucedía.

—¡Hola, querida Sanna! Te sentarás allí cerca de donde está tu madre. ¡Hazlo!

La chica obedeció.

Cuando los tres estuvieron sentados tal como la persona que los amenazaba quería, entonces se acercó a ellos.

Diane no dejaba de llorar y Sanna le pedía que se calmara. Timothy continuaba preguntando por qué hacía eso. En ese momento apuntaba a la cabeza de Sanna.

—Si tuvieras que elegir, padre de familia, a cuál de ellas dejarías con vida, o dicho de otra forma, a quién matarías para que la otra viviese —preguntó la persona con aire teatral.

Se hizo un silencio glacial.

Timothy no podía creer lo que estaba pasando.

—Elegiré yo por ti, entonces. Y escojo a Sanna para que muera primero. Y si alguno de los dos se mueve, le dispararé varias veces en diferentes partes de su cuerpo y sufrirá mucho más.

Al terminar de decir eso disparó a la cara de Sanna. Diane gritó, pero el alarido quedó inconcluso porque un disparo en el rostro también acabó con su vida. Luego, el último tiro, terminó con la de Timothy Barthes.

Así hubiesen obedecido fielmente a todas sus órdenes, nunca tuvieron oportunidad de salvarse. Que estuviesen muertos formaba parte importante de su plan.

6

—¿DESDE cuándo es usted enfermero en el Hospital Pediátrico General de Savannah? —le preguntó Hans a Keith Cavendish.

Se hallaban en el salón de interrogatorios en una de las oficinas del FBI en Florida.

El interrogado era un hombre muy alto, de manos alargadas y brazos tan blancos que en ellos se dibujaban las venas con suma nitidez. Llevaba puesta una camiseta bajo una camisa blanca que parecía nueva, un pantalón color crema y unos zapatos deportivos de punta anaranjada.

Se aclaró la garganta y respondió.

—Hace cinco años, exactamente el día que cumplí veinticinco, el 22 de febrero.

—¿Cómo explica que cada vez que muere un niño que está a punto de ser dado de alta usted se encuentra cerca de él?

—No lo sé. Trabajo en un hospital, y ese es un lugar en donde la gente suele morir. Que yo esté de guardia en esos momentos no es otra cosa que mala suerte. También he estado cuidando muchas veces a niños que se curan y se van a casa. Ustedes tienen una forma muy retorcida de relacionar las cosas.

El otro agente que acompañaba a Hans en la sala alzó las cejas al escuchar las palabras del sospechoso.

—¿Sabe lo que es el síndrome de Munchausen por poderes?

—Sí lo sé. Es cuando se simula la enfermedad de una persona vulnerable para conseguir atención médica. He conocido padres que lo padecen. El papel de los enfermeros en ese caso es vital para detectarlo.

—Entiendo. Hay quien afirma en el hospital que usted ha hecho que algunos de los pacientes se enfermen con el objeto de que no sean dados de alta. Y que con los pequeños Nola Murray, Philip Cobb, Nancy Spencer, y ahora con Cristopher Dolan, se le fue la mano y por eso murieron.

—Nunca me he llevado bien con ellos. Son vulgares e inventan cualquier cosa.

—¿Quiénes son vulgares? —preguntó Hans interesado.

—Quienes trabajan en ese hospital. Cuando todo esto acabe, me cambiaré de trabajo. Me iré a Illinois.

—No creo que pueda irse, señor Cavendish. Verá, Nola Murray solía regalar dibujos a la gente que la visitaba en el hospital. Me han dicho que fue usted mismo quien le regaló el cuaderno y unos lápices de colores, y que luego, cuando intuyó algo perjudicial para usted, los sacó de la habitación. Resulta que su tía Kelly Murray se llevó uno de esos dibujos porque la niña dijo que era un regalo para ella. Me he dado a la tarea de repasar con detalle todo lo que hicieron esos chicos antes de morir; quiénes los visitaron mientras estuvieron hospitalizados, cuál era su estado anímico, y cualquier cosa que los visitantes hayan podido ver, por muy insignificante que fuera. Y todos lo vieron a usted muy cerca. Es cierto que eso no constituye una prueba, pero lo que voy a decirle ahora sí. Revisé con sumo detalle los objetos que a los niños les habían llevado de sus casas a las habitaciones del hospital, y cuando conducía esas pesquisas tuve contacto con Kelly Murray. Entre lágrimas me mostró el dibujo que Nola le regaló dos días antes de morir. La pequeña dibujó un cielo azul, una casa y un pico nevado detrás. Cuando tomé el papel me di cuenta de que sobre el cielo había unas marcas, como cuando uno ha escrito algo en un papel y hay otro debajo que recoge parte de la impresión. Todo depende de la fuerza con la cual se escriba.

—No sé para qué me cuenta todo eso…

Hans golpeó la mesa que los separaba con el puño cerrado.

—Le cuento todo esto porque gracias a Nola lo tenemos. Usted debió quitarle la nota que escribió sobre el dibujo, en la cual pedía auxilio a su tía, y le dejó el dibujo porque lo consideró inofensivo. Después de eso la despojó de los lápices de colores y las hojas de papel, y apresuró el final de la chica. ¿Sabe? Contamos con buenos analistas en nuestro equipo y ellos han descubierto los trazos de la nota que Nola escribió sobre el dibujo del cielo. «Tía, creo que el enfermero llamado Keith me está enfermando. Cada vez que tomo lo que me da me siento muy mal. No me gusta…». ¿Le parece conocido este mensaje, señor Cavendish?

El interrogado no dijo nada y se cruzó de brazos.

Hans y el agente Wyler salieron de la sala.

—Está perdido —dijo Tony Wyler a Hans.

—Sí. Ahora habría que hacerle la evaluación psiquiátrica. Estoy seguro de que confesará pronto.

—¿Por qué matar a los chicos?

—Creo que no puede parar.

Wyler resopló.

—Maldito loco. Me voy a casa. Gracias por tu ayuda Freeman —se despidió Tony perdiéndose en el largo pasillo.

Hans se detuvo un segundo y pensó en todos los niños muertos y en la tendencia de nombrar a los asesinos como «locos» sin profundizar en sus motivaciones. Se cuestionó con crudeza:

—¿Hubiese sido capaz de matar a un inocente, como a un niño, con tal de lograr mis objetivos o satisfacer mis instintos? ¿Hasta dónde llegué yo movido por la necesidad de ser aceptado por Goren?

Luego se dijo que él no era un asesino como Cavendish. Que él los atrapaba y que ya el pasado con Goren, el delincuente juvenil que admiraba en su adolescencia, estaba sepultado. Esa idea lo consoló.

Tomó su celular. Iba a decirle a Fátima que ya había terminado allí, que ahora mismo haría el informe del caso Cavendish y que pronto volvería a casa. Entró en una oficina vacía y, cuando se disponía a sentarse, vio que tenía una llamada perdida de Julia.

—Espero que te esté yendo bien… —dijo en voz alta y marcó el número de Fátima.

7

CUANDO HANS SALÍA de la sede principal del FBI en Florida, recibió una llamada.

—Julia Stein ha sido víctima de un ataque. Investigaba el caso del asesinato de la familia Barthes y le han disparado llegando a la casa de las víctimas en Morgan City. Quería investigar el ambiente natural de los Barthes. La acompañaba la agente Alexandra Ramsey, quien murió —dijo la voz al otro lado del teléfono.

—¿Cómo está? ¿Está...? —Hans no pudo terminar de hablar.

—No. La están operando. Ha tenido suerte, porque la bala le rozó, pero no penetró.

Hans inspiró profundo.

—Perdone, su nombre, me dijo que era...

—Marina Toole del FBI de Nueva Orleans. Lamento tener que darle esta mala noticia, pero además lo llamo porque su nombre ha tomado una significación importante en este caso. Hemos recibido en uno de nuestros correos un mensaje desde una IP que no hemos podido rastrear. El mensaje dice:

«Para Hans Freeman del FBI: Ya es hora de que caigas tú también. Algo es mejor que nada. Lamento haber ensuciado la cesta del gato. Los Glose solo tenían a Max. Espero que Julia Stein se recupere pronto. Hermes».

—¿Le dice algo? —preguntó.

—Nada —respondió Hans.

—El ataque a Julia fue a las siete de la noche y la hora de recepción del mensaje fue a las seis y media. No hay ninguna duda de que se trataba del francotirador. También sospechamos que se trata del asesino de las familias. Los Barthes tenían tres gatos y la cesta de uno de ellos se manchó con sangre, y así fue encontrada en la escena del crimen. Los Glose tenían un cachorro llamado Max. Ninguna de esta información salió a la luz pública. ¿Tiene alguna idea de quién es Hermes?

—Ninguna. Ahora son las once de la noche, pero le prometo que llegaré antes del amanecer a Morgan City —dijo Hans y cortó.

Había mentido. Una frase en el mensaje le revolvió las entrañas: «algo es mejor que nada».

—¡No puede ser él! —dijo en voz alta.

Una imagen fugaz le pobló la mente, la cara de su madre llena de lágrimas cuando hablaban de Benny. Era una mujer estoica y pocas veces Hans la había visto llorar. Su medio hermano Benny era ese problema insalvable que era mejor olvidar. El mismo que se burlaba de ella cuando en forma repetida decía esa frase casi todos los días.

—Algo es mejor que nada, algo es mejor que nada... —remedaba Benny poniendo la voz en falsete.

Hans recordaba a su medio hermano, casi siempre en la cocina, tomando un vaso de leche y mirando a su madre. Ese espíritu de conformidad que molestaba a Benny a él también llegó a molestarle. Ese aire de martirio que su madre pretendía imponerles.

Benny se fue de casa cuando tenía quince años, y él solo cinco. Siempre lo recordó como un chico duro y rebelde, muy fuerte y hábil. Algunas veces divertido. No supo nada más de él jamás.

—¡Tiene que ser una casualidad! —gritó y salió de la oficina con pasos apurados sin cerrar la puerta.

PARTE II

1

Morgan City, 15 de julio, 7:00 a. m.

HANS CRUZABA a toda prisa la puerta del Hospital Central de Morgan City. Durmió menos de una hora en el avión que lo llevó a esa ciudad. Se le veía demacrado.

—¿Será Benny?

Era la pregunta que lo obsesionaba desde que la agente Marina Toole le dio la noticia del ataque a Julia.

Intentó seguir sus huellas a través de las redes sociales, pero no halló nada. Llamó a Bob Stonor del FBI en Washington y le pidió que lo rastreara. Al poco tiempo Bob le dijo que no había podido descubrir algo sobre su paradero. Se lo había tragado la tierra. También a su padre, a Chad Culpepper.

Hans sabía que Chad era un hombre violento y que su madre se culpaba por haber tenido un hijo con él. En una oportunidad le dijo que ese había sido el mayor error de su vida.

—Era muy joven, hijo. Uno a esa edad no sabe identificar a las malas personas…

Eso le dijo aquella vez que la llevó consigo unos días a una casa frente al mar. Una de esas veces en que lo intentaba; acercarse a su madre, recomponer la relación. Pero era imposible. A él también lo separaban de ella muchas cosas del pasado, su inacción frente a lo que estaba mal, su poca demostración de cariño. Por eso comprendía la razón por la cual Benny, de quince años, se había marchado. Creía que estaba muy unido a su madre y que no pudo soportar esa falta de apego y de ternura por su parte. En cambio, él sí pudo porque buscó en la calle con Goren la aprobación que necesitaba. No le hacía falta nada en casa. Pero cada quien era diferente y pensó que tal vez, y aunque él no lo supiera, Benny fuera más tímido y necesitara mucho más de una madre cariñosa.

Entonces una idea lapidaria se levantó en su pensamiento: «Mamá nunca lo quiso, ni yo tampoco».

Tuvo que reconocer que fueron más felices, o menos infelices, el día que Benny faltó.

—Algo es mejor que nada. Esa estúpida frase. Tal vez no sea lo que yo estoy pensando… —volvió a decirse cuando subía la escalinata para ingresar al hospital.

Necesitaba que Julia estuviese fuera de peligro. No se perdonaría que le pasara algo malo. Fue él quien la había reclutado para que formara parte del FBI porque desde que la vio en el Departamento de Wichita supo que tenía algo especial. La misma chica de bonitos ojos verdes que lo miró con curiosidad en aquel accidentado vuelo ahora estaba en peligro de muerte por haberlo conocido a él.

Se acercó al módulo de información y preguntó por la paciente Julia Stein. Una mujer de pelo rojizo y flequillo largo levantó el mentón y lo miró dos segundos como si evaluase que se trataba de «otro policía». Ya todos en el hospital sabían lo del francotirador en las afueras de la casa de la familia asesinada.

—Se encuentra en observación. A la derecha. Tome hasta el final de ese corredor y use el ascensor, y pulse tercer piso. Habitación 345.

Le parecía una buena noticia que estuviera en una habitación. Cuando llegó a donde la mujer de información le indicó, en la puerta del cuarto, sintió pánico durante un segundo. La quería y no deseaba verla cambiada ni vulnerable.

Allí estaba ella, acostada y dormida. Un médico de espaldas miraba la vía intravenosa que tenía en la mano. Cuando escuchó la puerta, volteó.

—Hola. Soy el doctor René Keller, el médico neurólogo e internista que atiende a la paciente. Usted no debería estar aquí. De seguro no ha visto el anuncio en la puerta. La paciente no puede recibir visitas.

En efecto, Hans venía tan absorto en sus pensamientos y temores que no se fijó.

—Pero, ya que está aquí, lo dejaré un minuto con ella. Puedo esperarlo afuera para informarle de su estado. Todo va evolucionando a buen ritmo. No se preocupe.

Hans sintió ganas de llorar. Como cuando luego de una gran tensión todo comienza a resolverse y es posible que las cosas vuelvan a ser como antes. Se sintió como un niño pequeño cuando es aliviado de un gran peso.

—Gracias —alcanzó a decir.

El médico salió de la habitación y Hans se acercó a la cama. Se detuvo junto a ella. Julia tenía la cabeza cubierta con unas vendas. Su hermoso pelo ya no estaba. Parecía dormir tranquila.

Entonces comprendió que lo que más le dolía era no haber atendido su llamada en la noche, porque ella intentó comunicarse con él justo minutos antes del disparo. Ahora, viéndola respirar y evolucionar bien, se dio el permiso de hacer consciente la razón más profunda de ese sentimiento de culpa que no lo había dejado en paz desde que habló con la agente Toole. Que no estuvo allí cuando ella lo buscó.

—Vas a estar bien, Julia —le dijo en un susurro mientras tocaba su mano y sentía las lágrimas atacar sus ojos.

2

—La operación fue para extraerle un mínimo fragmento de hueso del cráneo que se alojó cerca de una vértebra cervical. Julia sufrió la rozadura de una bala en el cráneo y cuello. Fue muy afortunada porque la bala no penetró.

Eso le dijo el médico internista a Hans minutos después de que estuviera en la habitación con Julia. En el pasillo lo esperó, tal como le anunció. Se hallaban justo frente a la puerta de la habitación 345.

—Ahora todo dependerá de la inflamación de sus tejidos. En casos como estos, la evolución de las primeras horas es crucial. Si el edema es controlado, podría recuperarse a buen ritmo.

—¿Qué sucede si se inflama? —preguntó Hans.

—Que podría perder algunas funciones cerebrales, pero soy racionalmente optimista en el caso de Julia. Debemos esperar.

Hans asintió, intentando contagiarse del optimismo que el médico internista mostraba.

En ese momento fueron abordados por un hombre que llegó sin que ninguno de los dos lo notara.

—Soy Bill Lipman, el novio de Julia Stein. ¿Cómo evoluciona?

A Hans le pareció que el recién llegado, quien afirmaba ser el novio de Julia, controlaba muy bien sus emociones. Notó que se había permitido el tiempo necesario para afeitarse, peinarse y vestirse correctamente. Incluso el nudo de la corbata mostraba una precisión milimétrica. Pensó que él, en cambio, estaba hecho una pena y a punto de quebrarse. No sabía que Julia tuviese novio, aunque si hubiese tenido que imaginarla con alguien, jamás lo hubiese hecho con una persona así.

El recién llegado continuó hablando.

—En un momento estoy con usted, doctor. Voy primero a verla.

—Lo siento, pero no puede hacerlo. Le he dicho ya al agente...

—Hans Freeman —completó el aludido.

—... que no es posible en este momento que la paciente reciba visitas. Está en un proceso de observación y recuperación. Estas horas son decisivas porque debemos monitorear la inflamación. Con su permiso, debo irme —terminó de decir.

Hans miró a Lipman esperando ver un aire de enfado o frustración. No sabía si estaba siendo muy duro en la apreciación hacia él, pero no le gustaba la actitud tan políticamente correcta que el novio de Julia mostraba.

Lipman bajó la mirada.

«Allí está. Ahora sí lo está sintiendo. Después de todo, puede que sí la quiera. Puede que sea yo el que está perdiendo claridad y tino. Lo de Benny me ha afectado mucho y ni siquiera sé si realmente se trata de él», pensaba Hans al ver a Lipman tomar una caja de cigarrillos y sacar uno de ellos.

Eran de una marca que a Hans le desagradaba.

—Me voy a alguna parte a fumar. Y espero que esté permitido, y si no, me da igual. ¿Tampoco has podido verla? Ella me ha hablado mucho de ti. Te considera un verdadero amigo. ¿Vas a atrapar a quien le hizo eso a July?

Hans asintió.

Lipman se fue caminando con lentitud y cruzó una puerta al final del pasillo. Hans sintió ganas de ir tras de él, fumarse uno de esos desagradables cigarros también y hablar de Julia, ya que en ese momento Lipman era lo único que lo acercaba a la vida de su compañera. Pero, cuando estaba a punto de moverse, escuchó unos pasos detrás. Se trataba de una mujer que venía caminando con determinación hacia él. Era alta, de contextura fuerte y apariencia imponente.

3

—AGENTE MARINA TOOLE —dijo la mujer cuando estuvo junto a Hans.

—Hans Freeman —respondió.

—Lo sé. Lo conozco. He participado de uno de sus seminarios y también he leído su manual. ¿Puede acompañarme un momento? Sentémonos allí —pidió ella señalando tres sillas azules que se hallaban en el corredor a pocos metros.

Hans asintió. Ambos se dirigieron hacia allí y se sentaron.

Calculó que Marina tendría cuarenta y cinco años más o menos, y se dijo que siempre debió estar orientada a la protección de los otros. Se la imaginó, fugazmente, en sus días de escuela. No podía evitar algunas veces, cuando conocía a alguien, imaginar su pasado. Le sucedía con los homicidas y también con quienes se enfrentaban a ellos. Eso era lo que su mentor, el viejo Harold Wilson, llamaba una «imaginación prodigiosa para el crimen y a la vez su talón de Aquiles como investigador». Para Wilson, cuando Hans no controlaba su obsesión por atrapar criminales, esta imaginación podía sumirlo en un caos inaguantable para él. Muchas veces había alertado a Hans de no descuidar su salud y que aprendiera a desligarse de los casos que investigaba. Pero para Hans, en este momento, eso era imposible. Se trataba de un asesino que había atentado contra la vida de Julia y por ello su cerebro trabajaba con intensidad.

Allí, estando sentado junto con Marina Toole, le bastaron unos segundos para hacerse una idea sobre ella y su pasado. Se dijo que habría sido una chica muy alta para el promedio en la escuela. Lo pensaba porque ahora debía medir cerca de 1,80 metros y desde niña debió verse intimidante. Que se hubiese hecho policía a Hans le parecía una buena orientación en respuesta a ese respeto que infundiría desde muy joven.

Miró sus brazos tonificados de color bronceado, y luego notó que de una de sus muñecas colgaba una fina pulsera —casi invisible—, que era más como un hilo color rosa y otro color mora entrelazados. Eran lo suficientemente pequeños para que pasasen desapercibidos a cualquier otra persona.

Marina se dio cuenta de que Hans observó su fina pulsera de hilos por unos segundos.

—Usted es tal como me lo suponía. No pierde pista de nada. Y sí, me la regalaron mis hijas, un color para cada una; el rosa es de Macy y el mora es de Carol. Son gemelas y tienen cinco años.

Hans movió la cabeza en señal de afirmación.

—Lo primero que voy a decirle es que no puedo dejar que participe en la investigación, aunque el presunto asesino de los Barthes y atacante de Alexandra Ramsey y Julia Stein lo haya nombrado en el correo electrónico. Ni aunque su joven compañera haya resultado herida y ahora esté…

—Lo sé —respondió Hans con amargura.

—He venido hasta acá porque también me importa conocer su estado. Además es una testigo potencial. ¿Por qué el asesino las atacó? ¿Cuál fue el motivo? No lo entiendo. Apenas iban comenzando a investigar. Stein llevaba solo dos días en el caso, desde que el jefe Nolte decidió que viniese ella a encargarse. Y luego ella convocó a la agente Alexandra Ramsey de Idaho, quien llegó el mismo día del ataque del francotirador que acabó con su vida.

Hans notó en su voz un registro que lo hizo pensar que esa decisión lo había molestado. Especuló que tal vez ella buscaba quedarse con el caso porque, de resolverlo, eso daría notoriedad a su carrera. Era una mujer centrada y dedicada a su profesión, y tal vez había considerado injusto que buscaran a Julia. Se sentía capaz de llevar el caso y, por lo que él veía, debía serlo.

—Por otro lado, está el caso Glose. ¿Por qué iba a esperar tres años para volver a atacar? Primero en Featherville y ahora en Cypress Road.

—¿Qué? Perdone, pero no conozco...

—Tuve la idea de que Julia Stein podría haberle informado sobre el caso y que, dada la complejidad que ha adquirido, usted también lo investigara. Tal vez supuse que eran más cercanos porque en el buró se dice que es una especie de aprendiz para usted, pero la verdad es que no tendría por qué haberlo hecho. Discúlpeme. Verá, entiendo que quiera participar, ya que es su compañera la que está allí herida en esa habitación. Nadie sabe cómo tuvo tanta suerte, la misma que le faltó a Ramsey... Puedo comentar con usted lo que sé hasta ahora sobre el caso, pero eso no significa que vaya a participar en él. ¿Entiende?

—Sí. Está bien —respondió Hans, impaciente, pensando que no sería fácil la relación con Marina Toole. Echaba de menos a la oficial Anne Ashton, jefa del Departamento de

Homicidios de Wichita. Él recordaba su valiosa colaboración para descubrir al asesino que azotó la ciudad hace un tiempo.

—Una familia, antes que los Barthes, fue víctima de un ataque similar. Hablo de los Glose; John, Teresa y Lea. También fueron asesinados con un rifle semiautomático, con balas de idéntico calibre, en la sala de la casa vacacional a unas dos horas de Boise, en Featherville. Existen otros rasgos comunes en el comportamiento de estas familias que han sido víctimas de quien presumimos es el mismo homicida: ambas eran producto de una segunda o tercera unión de las mujeres, que tenían hijas únicas de uniones anteriores. Además, ambas chicas (Lea y Sanna), o bien presentaban quejas en sus respectivas escuelas por conductas inadecuadas, o bien era evidente, según sus redes sociales, que no eran lo que podríamos decir «amables» con algunos compañeros de curso. Las dos familias eran acomodadas e influyentes, incluso en el ambiente escolar de sus hijas. La madre de Sanna Barthes, Diane, pertenecía a la familia Vanderbilt, que es la más rica del sur del país, y Teresa Glose provenía de una familia rica de Montana.

Hans sintió que había perdido el tiempo sumergido en el dolor de saber a Julia a punto de morir y en el temor de que Benny tuviese algo que ver. No había dedicado las últimas horas, desde que Marina lo llamó, a investigar el caso. Tenía que centrarse y ser efectivo porque ahora la investigación tomaba un cariz de mayor complejidad.

—Pedí a un agente en Featherville que hablara con el único sospechoso del caso de los Glose según el informe de Alexandra Ramsey. Era alguien llamado Alan Turner, pero me dijeron que está muerto —continuó diciendo Marina mientras Hans, ante esta nueva información, se preguntaba si su hermano Benny se habría convertido en un asesino serial movido por el odio a las familias que lo tenían todo.

Entonces una idea devastadora lo atacó: de repente

recordó que el padre de Benny era un experto cazador y apreciaba con obsesión su rifle de caza. Eso le había dicho su madre alguna vez.

4

Escucharon el sonido de una puerta cerrarse. Hans levantó la mirada y vio que el médico internista que le había hablado antes sobre el estado de Julia caminaba hacia ellos. Marina volteó, se levantó y Hans hizo lo mismo.

—Si es el doctor encargado, debo decirle algo —explicó Marina.

—Lo es —se limitó a responder Hans, intentando ocultarle su impaciencia.

Lo que quería era que ella le contara todo lo que supiera del caso, hasta el último detalle, porque se hallaba a oscuras y necesitaba comprender qué era lo que Julia quería decirle cuando lo llamó y él no vio la llamada sino hasta un rato después. Lo exasperaban las interrupciones.

Marina llamó al doctor.

—Esta habitación permanecerá custodiada por dos efectivos policiales las veinticuatro horas. Quería que lo supiera. También que las visitas a Julia Stein están restringidas y solo podrán tener algún contacto con ella las personas que cuenten con nuestro permiso —le dijo al doctor con voz determinada, pronunciando cada palabra con perfecta dicción.

—Eso está muy bien —respondió él, mostrando alivio, y luego continuó—, porque así también disminuirán los curiosos por el caso de Vera Page, la maestra de la escuela Bayou que se encuentra en la habitación de junto en un estado «especial» desde hace tres días.

—¿La escuela Bayou ha dicho? —preguntó Marina con un tono de voz que hizo que Hans se alertara.

—Sí. Eso he dicho.

—¿Qué le ha pasado a la maestra? —preguntó Hans en un impulso.

—No lo sabemos aún. Lo reconozco. Vera Page está en coma, pero desconocemos el motivo. Lo peor de todo es no saber el porqué de su estado. La gente ha hablado y murmurado, dice que debido a su amistad con Dick Amery, el psicólogo y parapsicólogo conocido en la ciudad por estudiar fenómenos paranormales. La gente opina que él tiene algo que ver con lo sucedido a Vera, con ese inexplicable estado de coma en el que se mantiene. Como si en medio de alguna práctica que él condujera, o algo así, ella hubiese quedado en otro umbral, en otra dimensión de la cual ahora no puede salir. Eso es lo que piensa la gente, pero, por supuesto, no es lo que aquí creemos. El estado en el que se encuentra debe responder a algo físico. Estamos haciendo exámenes sanguíneos, pero algunas veces, si no se sabe lo que se busca, es como pretender encontrar una aguja en un pajar. Me gustaría mucho si ustedes pudieran hacer algo para mantener a esos periodistas molestos fuera de estos pasillos.

Pero Hans solo pensaba en una cosa mientras el doctor hablaba: la maestra Vera Page se encuentra en ese estado inexplicable desde la fecha del asesinato de los Barthes, y si su intuición no lo engañaba, la reacción de Marina al escuchar el nombre de la escuela lo lleva a pensar que se trata de la misma escuela donde estudiaba la chica, Sanna Barthes.

—¿Desde cuándo exactamente está en ese estado? ¿Es posible determinar con precisión el momento en el que dejó de estar consciente sin razón aparente? —preguntó Marina.

—Soy el jefe del Departamento de Medicina Interna y estoy al tanto de los detalles que pregunta en relación con el caso de Vera Page, pero no puedo discutirlo con ustedes. Lo siento.

Marina lo miró con detenimiento al obtener esa respuesta y Hans iba a decir algo, pero el doctor se adelantó.

—Creo que es preciso que sepan solo una cosa, que además no tiene que ver con mi actuación como médico y por lo tanto no violo ninguna ley: Vera Page vivía en Boise cuando murió la otra familia que también residía allí, no recuerdo sus nombres. Pero como dijeron en las noticias de hace pocos minutos que fueron asesinados de la misma manera, creo que es mi deber mencionarlo. De seguro ustedes ya lo sabían, pero me extrañaba que no hayan venido antes a preguntar algo sobre Vera Page.

—¿Cómo lo sabe? —preguntó Marina, asombrada, porque no estaba al tanto de eso. De lo que sí estaba enterada era de que ya los medios habían relacionado la muerte de los Glose con la de los Barthes.

—Porque aquí estuvo Albert Preston, intentando ver a la paciente, y conversó unos minutos conmigo. Es de la junta de padres de la escuela Bayou y me ha dicho que la primera vez que vio a Vera Page fue en un hospital en Boise, y eso coincidió con la fecha del asesinato de los Glose. Parece que este tuvo que ver con el hecho de que Vera Page se mudara a Morgan City. Pueden preguntarle a él. Me extrañó que viniese

49

a ver a su amiga apenas unas horas después de haber sucedido lo de su exesposa...

Marina no podía creerlo. ¿Cómo se les había pasado eso, esa conexión entre las víctimas?

Hans, al mirar su expresión, se dio cuenta de su asombro. No sabía nada de la maestra Vera Page. Entonces se preguntó si el principal objetivo de destrucción para el asesino serían Lea y Sanna. Pensó que podrían estar frente a alguien que necesitara acabar con chicas como ellas, y que culpara a sus padres de lo que eran. Por eso mataba a toda la familia. Alguien como una maestra que las conociera a ambas y que conocía al exesposo de una de las víctimas. Él, Albert Preston, también resultaba sospechoso para Hans y Marina.

El celular del médico sonó y rompió el silencio que se había producido. Se retiró a atender la llamada.

Marina mostraba el entrecejo fruncido. Tomó con movimientos rápidos su teléfono, con la mano izquierda, y con la derecha tocó el borde inferior de su chaqueta y lo alisó. Hans pensó que debía hacer eso cada vez que algo la desconcertaba.

Cuando se comunicó con la persona a quien llamaba se apartó unos pasos de Hans y le dio la espalda.

El médico volvió con Hans unos minutos, y conversó con él mientras Marina hablaba y esperaba una respuesta con el celular sostenido en la mano.

Al poco tiempo Marina volvió y le agradeció al doctor René Keller la información que les había dado.

Cuando el médico se fue, le dijo a Hans:

—Lo que ha dicho es cierto. No lo habíamos detectado porque la maestra estaba trabajando en esa escuela de Boise como suplente, y fue por un periodo muy corto de tiempo. Por lo que no se vio reflejado en su historia laboral. Pero sí es verdad que trabajó en la escuela donde estudiaba Lea Glose.

Es el único vínculo entre ambas familias. Además es amiga de Albert Preston, y él es el anterior esposo de Diane. Preston ha mostrado una actitud conflictiva luego del divorcio de Diane y su posterior unión con Timothy Barthes. También fue visto llamando con insistencia a la puerta de la casa de los Barthes en Morgan City el mismo día de los asesinatos, en horas de la tarde, pero ya ellos habían salido a la casa vacacional. Que la maestra tenga relación con él, cosa que tenemos que comprobar, es un dato considerable. La cuestión es por qué…

—¿Por qué ahora permanece en ese estado de coma misterioso? —completó Hans y luego, mientras sacaba algo de uno de sus bolsillos, continuó—. ¿Se lo habrá provocado a sí misma después de haberlos asesinado o de ser cómplice del asesino, en caso de que este fuera Preston? —le preguntó a Marina, quien no supo qué responder.

Hans comprendió que debía esforzarse más para lograr que Marina le diera espacio y voz en la investigación.

—Sé que no puedo formar parte de esto, pero te pido que me dejes acompañarte en los próximos pasos. Si en algún momento has creído que soy bueno en mi trabajo, te pido que lo consideres. Ahora mismo, y antes de que hables con Albert Preston o con Dick Amery o con alguien más, te diría que lo prioritario es visitar la casa de Vera Page. Como es la única relación hasta ahora descubierta entre los Glose y los Barthes, se ha convertido en el sujeto de mayor interés y lo que encontremos en su casa puede ser más que revelador.

Marina recordó de inmediato las teorías de Hans sobre la importancia de las casas de las víctimas y los asesinos para descubrir hallazgos claves en las investigaciones. La verdad era que le parecía portador de una mente brillante, pero no tenía la menor intención de hacérselo saber.

—Está bien. Estarás conmigo hasta cierto punto y con

bajo perfil. Ahora podré comprobar si es cierto que las casas nos «dicen» cosas, tal como has afirmado siempre.

Hans le dio las gracias. Luego la vio otra vez tomar el celular y pedirle a alguien que averiguara todo sobre la vida de Vera Page, y que esta vez no pasaran nada por alto.

5

DESPUÉS DEL ENCUENTRO en el hospital, Marina fue a obtener una orden para registrar la casa de Vera, y Hans aprovechó el tiempo para leer los expedientes de los casos Barthes y Glose que ella le entregó. Allí mismo, en la silla del corredor del hospital, se puso al tanto de los asesinatos.

Le pareció detectar un patrón entre las familias que sin duda tenía que ver con las chicas. Más allá de que fuesen adineradas, consideraba más importante el hecho de que los dos padrastros, John Glose y Timothy Barthes, estaban ligados a la escuela, y entonces cobraba mayor relevancia la figura de la maestra.

Formar parte por el momento de las investigaciones lo aliviaba. Pensando en eso bajó a la cafetería del hospital por un café, pero de pronto sintió hambre. Desde la llamada de Marina no había comido. Al cruzar la puerta percibió un ligero olor a bistec. Eso quería, un gran bistec término medio. Se asombraba a sí mismo por ese deseo, pero decidió atenderlo. Pidió un trozo de carne de 350 gramos y papas fritas.

Cuando el plato llegó, lo devoró como si llevase una semana sin comer. Luego se sintió mejor.

Recibió en el celular una llamada de Marina. Estaba en el estacionamiento, esperándolo para registrar la casa de Vera. Salió con prisa y con un ánimo renovado. Tropezó sin querer con Lipman, que venía entrando a la cafetería. Se le cayó algo del bolsillo y Lipman lo recogió. Se lo entregó y le dijo algo desconcertante:

—No creo que fuera su intención asesinarla.

Hans arrugó la frente.

—Que no creo que el francotirador quisiera asesinar a Julia. No habría fallado el disparo...

Fue cuando Hans vio claro algo que había estado dando vueltas en su cabeza, pero de manera inconsciente. Fueron esas palabras incluidas en el correo electrónico que el asesino envió a la dirección del FBI:

«Para Hans Freeman del FBI: Ya es hora de que caigas tú también. Algo es mejor que nada. Lamento haber ensuciado la cesta del gato. Los Glose solo tenían a Max. Espero que Julia Stein se recupere pronto. Hermes».

—¡Es verdad! Esa última frase... ¿Cómo fui tan tonto? Si esperaba que se recuperara era porque antes del ataque sabía que no moriría, y porque solo quería muerta a Ramsey. Desde las seis y media, cuando envió el correo y antes del ataque, sabía que Julia quedaría en una condición «recuperable» y no moriría —exclamó en voz alta.

—Eso significa que es mejor tirador de lo que uno podría imaginar. No solo apunta a la cabeza, sino que define un punto de mira que solo produzca el roce de la bala. No me gustaría estar en su lugar, Freeman. Este sujeto sabe lo que hace y es bueno —dijo Lipman.

A Hans le molestó el comentario. Casi podría decirse que

admiraba a la persona que había herido a su novia. Aunque no lo admitiera, el novio de Julia le caía muy mal. Pronunció un frío «hasta luego» y continuó su camino al encuentro con Marina. Eran las doce y treinta y tres minutos de la tarde.

6

QUINCE MINUTOS después se encontraban frente al apartamento de Vera Page. Vivía en una residencia de tres plantas, revestida con ladrillos rojos y techos plomizos, ubicada al norte de la ciudad de Morgan City.

Buscaron el apartamento «bajo B». Entraron por la puerta que conducía a la calle cuando dos chicos la abrieron para salir. Atravesaron un sendero rodeado de arbustos y plantas de cerezo y giraron a la derecha para buscar los bajos. Un hombre que hacía mantenimiento a la piscina se les quedó mirando con curiosidad.

Cuando estuvieron frente a la puerta del piso de Vera, notaron que estaba abierta. Sin decir palabras, los dos llevaron sus manos a las armas. Luego, cuando ya las tenían desenfundadas, se miraron con las pupilas agrandadas. Marina tocó la puerta y mantuvo ese contacto sin empujarla hasta que Hans asintió con la cabeza.

Entraron empuñando las pistolas, primero Marina y luego Hans. De inmediato se dieron cuenta de que alguien había estado buscando algo. Todo estaba revuelto y el desorden podía verse desde el pasillo por donde avanzaban. Continuaron caminando y llegaron al ambiente que integraba la sala, el comedor y la cocina. Los objetos estaban volcados en el piso, las gavetas de un mueble de madera oscura estaban abiertas y encontraron los cojines color mostaza del sofá destrozados.

Terminaron de recorrer la casa completa, pero no hallaron a nadie. El desorden era la constante. Hans volvió a la sala y se fijó en la puerta ventana que conducía a una pequeña terraza, que a su vez se comunicaba con el área de la piscina. La separaba de ella una superficie de siete metros —estimó—, recubierta de césped y tierra. La puerta ventana estaba rota y los cristales podían verse dispersos en el suelo. Hans salió a la terraza y notó que junto a la puerta había manchas de barro sobre las losetas, y estas dibujaban unas huellas. Comprobó el estado del suelo en el área interna cercana a la puerta. También había barro. Luego volvió a salir y analizó la dirección de las pisadas. Unas de ida y otras de vuelta. El rastro llegaba hasta el final del suelo y el inicio del césped.

Marina se hallaba adentro y lo vio a través de la puerta de los cristales rotos. Hans se dio cuenta y entró.

—¿Qué estarían buscando? ¿Y quién?

—Quiénes. Hay huellas en dirección hacia adentro de la casa y otras hacia afuera. Si la puerta estaba abierta, lo más lógico es suponer que, o bien alguien salió por allí (con lo cual las huellas de barro de salida no tendrían que existir), o bien alguien entró por allí (con lo cual las huellas de barro de entrada no tendrían que existir). Aquí estuvieron buscando algo dos personas: una entró y salió por la puerta, y la otra entró y salió rompiendo el cristal de la puerta ventana y metiendo el brazo para mover el pestillo.

—Tienes razón —dijo Marina y continuó—, ¿pero qué

buscarían? Parece que la maestra cada vez se nos convierte en un acertijo más grande.

Hans miró hacia diferentes lugares del salón. De pronto clavó la mirada en un envoltorio brillante, dorado y plateado que se hallaba en un cenicero. Se acercó a él y lo observó. Vio unas letras negras.

Supo que aquello también lo había visto en otro lado.

7

—¿Lo ves? En esta foto de la escena del crimen, junto al puro que estaba cerca de Timothy Barthes, hay un envoltorio idéntico. Es el papel que cubre un bombón Nokka. Un bombón muy costoso, 900 dólares la caja con treinta bombones cada uno envuelto con este papel de oro, y solo vendido por la tienda Nimban —dijo Hans mostrando una imagen en su celular.

Marina miró la imagen y notó la similitud. De inmediato tomó su móvil y llamó a alguien. Ordenó que ubicaran a los distribuidores de la tienda Nimban en el país y les consultaran sobre los clientes que habían encargado bombones Nokka.

—Esto conecta a Vera Page con los Barthes, de otra manera...

—Exacto. De una forma más personal. Podemos especular que alguien de la familia Barthes compraba estos bombones y se los regalaba a Vera. Pudo comprarlos ella también, pero parece una excentricidad. Y lo más simple de pensar es que Timothy y la maestra...

—Sí. Ya tenía fama de mujeriego y, según los chicos del

Departamento de Ciberanálisis, sus redes sociales la confirman.

—¿Y si alguien se enteró…? Pero eso no explica por qué entraron en este lugar. A menos que uno de los intrusos sea responsable del estado comatoso en el que se encuentra Vera Page y también tenga que ver con Timothy Barthes —dijo Hans.

—Bien. Supongamos que el asesino es un novio celoso de la maestra. Se entera de que ella tiene algo con Timothy Barthes, lo asesina junto con su familia en la casa vacacional, también se venga de ella y le administra un fármaco que la deja en la condición en la que está. Y luego viene aquí porque hay algo que lo delata, lo busca, lo encuentra y se retira —expone Marina.

—Continúa —la alienta Hans.

—¿Quién fue la otra persona que entró aquí? ¿Dónde está la relación con los Glose, de Boise? —pregunta Marina.

—No lo sé. Creo que debemos ir a casa de los Barthes, pero no a la escena del crimen, sino aquí en la ciudad. Donde iba Julia cuando...

—Cuando el asesino la atacó. Pero sabemos que no lo hizo porque llegaran allí. No podía saberlo. Ni siquiera nosotros sabíamos a dónde iba Alexandra cuando Julia la recogió en la estación. Es decir, no atacó a Ramsey y a Julia porque fueran a la casa de los Barthes; no era que estuviese vigilando allí y no quisiera que ellas entraran. Las seguía a ellas y las hubiese atacado a donde fueran.

Hans se quedó pensativo porque no estaba de acuerdo con Marina. Él creía que el asesino sí sabía que las agentes irían a esa casa. En ese momento pensaba que, si era Benny el culpable, había una posibilidad de que sí supiese desde antes que Julia iría a la casa de los Barthes. Si se había informado sobre sus métodos y sobre la relación cercana entre Julia y él, no era difícil que considerara que más temprano que tarde ella visitaría la casa de las víctimas. Así como Marina sabía que era una idea fundamental para él estudiar las casas de las personas, su hermano Benny pudo haberlo sabido. Enviar el correo electrónico era solo una anticipación a lo que iba a hacer cuando Julia llegara a la casa; un crimen anunciado.

Intentaba encajar todas las piezas del rompecabezas sin pensar en Benny, pero una y otra vez resultaba vencido por el recuerdo, por la posibilidad de que fuera el asesino serial de las familias debido a que él no había tenido ninguna. Eso no podía contárselo a Marina ni a nadie hasta no tener más información.

Mientras pensaba en eso y miraba a Marina, se dio cuenta de que ella también lo miraba con fijeza.

Era una agente de homicidios y sabía cuándo alguien ocultaba algo.

8

Morgan City, 15 de julio, 2:00 p. m.

LLEGARON a la casa de los Barthes por la tarde. Estacionaron el auto y se bajaron, tal como lo habían hecho hacía apenas un día Julia y Alexandra. Sin quererlo, Hans miró hacia el pavimento en el estacionamiento de la casa. Vio una mancha de sangre en el lugar donde fue abatida Alexandra Ramsey. Miró a todos lados, intentando adivinar dónde se hallaba el francotirador.

—Ya han barrido la zona. No hay nada que nos conduzca a él, pero lo vamos a atrapar —dijo Marina en lo que para Hans fue una inesperada demostración de empatía. Ya había considerado el hecho de que Marina era una mujer poco comunicativa.

—Sí, agente, lo vamos a atrapar —repitió como agradeciéndole su gesto.

Llegaron a la parte frontal de la casa y subieron unos escalones que conducían a la puerta. Marina poseía una llave. Abrió e ingresaron. Era tal como Hans esperaba; lujosa bajo la consigna de «menos es más». Pudo hacerse una idea mejor de la personalidad de Diane Barthes. Había pocos objetos y muy costosos. El color que predominaba era el blanco, complementado de algunos detalles en las paredes de tono gris oscuro. La vivacidad la daban tres cuadros abstractos de grandes dimensiones que colgaban de hilos invisibles, como si fueran lámparas. Hans identificó semejanzas entre este salón y en el que fueron asesinados. En otro momento le hubiese resultado fascinante reconocer los patrones que crean las personas en los lugares que habitan y que consideran propios.

—¿Por dónde empezamos? —preguntó Marina.

—Por el cuarto de Sanna.

Ella sabía que esa sería la propuesta de Hans. Entonces señaló la escalera.

Una vez dentro de la habitación comenzaron a revisar la cómoda, las gavetas de un escritorio y el interior de un armario. Marina encontró algo que le llamó la atención.

—Es material de un movimiento en favor de las armas y una tarjeta de una galería de tiro llamada Excalibur.

Ese hallazgo reforzaba una idea que había tenido Marina cuando le encargaron el caso. Se inclinaba a pensar que el asesinato había sido cometido por jóvenes que bien podrían ser adolescentes, que quisieran vengarse de Sanna Barthes. El asesinato de los Glose también pudo haber sido obra de adolescentes armados en venganza por algo que Lea hiciera. Ella lo veía como un grupo conectado tal vez por redes sociales que compartía la intención de hacer pagar a las escolares a las cuales alguno de sus miembros tuviese algo que reprochar. Una especie de banda delincuencial que actuaba por encargo de alguno de sus integrantes. Pero no habían encontrado nada en internet que apoyara la idea de Marina.

Sintió deseos de exponer su teoría a Hans para conocer su parecer, al encontrar esas hojas del movimiento, pero cuando iba a hacerlo notó que Hans clavó la mirada sobre una pequeña cartera que descansaba sobre una silla próxima a la cama de Sanna.

Lo vio caminar hasta ella, tomarla, abrirla y sacar el contenido vertiéndolo sobre la colcha rosa de la cama.

Vieron unas llaves, un bolígrafo, una servilleta, un pendiente y un portatarjetas color negro. Además de un papel arrugado. Esto último fue lo que llamó la atención de Hans.

Tomó el bolígrafo y, sirviéndose de él, extendió el papel.

Marina se acercó. Se trataba del programa del acto de fin de curso que tuvo lugar el mismo día de la muerte de la familia, en horas de la mañana. Pero lo importante era otra cosa. Podían leerse unas palabras escritas con una caligrafía de trazos imprecisos. Resultó ser una frase inconclusa que los hizo mirarse entre ellos luego de conocerla.

—Vamos a ese lugar —dijo Marina.

Bajaron las escaleras y en menos de cinco minutos se encontraban en el auto.

9

—«Vera, te vi en el bar Oasis. Sé lo que estás plane…» —se repite Hans un par de veces para sus adentros. Eso fue lo que leyeron en el papel.

Marina, mientras tanto, busca en el teléfono un bar llamado Oasis y encuentra tres, pero solo uno estaba al lado de una galería de tiro llamada Excalibur. Comprende que lo más lógico es que se trate de ese. Enciende el auto, inicia el recorrido y conduce veloz.

En menos de quince minutos se hallaban en una calle solitaria en donde la basura está amontonada encima de los botes. Se situaba en el oeste de la ciudad, en una zona que era conocida por altos índices delictivos. Sobre todo resultaba ser apetecible para bandas que se dedicaban al tráfico de drogas.

Marina imaginó a Sanna Barthes en ese lugar y la única explicación que se dio fue que era una de esas prácticas que solían cometer los adolescentes para llevarles la contraria a sus padres, como acto de rebeldía. Imaginaba que la chica no era tan imprudente como para ir hasta allí sola.

Cuando el GPS le indicó que había llegado a destino,

detuvo el auto y bajaron. No se veía ningún peatón cruzando la angosta calle ni ningún auto desplazándose.

Hans se quedó mirando la ventana del local ubicado junto al bar. Lucía empolvada y, arriba de ella, en un cartel pequeño con letras desdibujadas se leía «Excalibur, club de tiro al blanco».

Ambos se acercaron a la ventana y se asomaron. El local lucía vacío. Solo había una mesa y dos sillas, una frente a la otra. Se dieron cuenta de las paredes insonorizadas. También ven desde la ventana unas cartulinas con círculos de tiro al blanco en la pared.

Entonces deciden continuar hacia el bar.

Parecía que había gente adentro y la puerta estaba abierta. Entraron y la oscuridad del lugar hizo que por unos segundos se sintieran ciegos. Olía a algo húmedo. Luego comenzaron a ver los objetos: una barra vacía y cubierta de una gruesa capa de polvo, unas botellas en una estantería y un cuadro de James Dean en un rincón. También un grifo, que alguna vez fue dorado, sobre la barra.

—Hola —dijo Marina sin dejar de avanzar.

Nadie respondió.

Escucharon un ruido, como el de una botella de vidrio que cae y se hace trizas. Instintivamente, ambos desenfundaron sus armas y avanzaron por un corredor hacia una sala más amplia aunque igual de oscura.

Cuando llegaron a ella, vieron una puerta batirse y quedar medio abierta. Una que conducía al exterior, por donde entraba claridad solar. Alguien había salido corriendo y se tropezó con ella al hacerlo. Hans esta vez fue más rápido y llegó al exterior primero. Salió a un patio trasero limitado por una cerca y sobre ella vio a un hombre que pretendía escapar.

Cuando Marina se dio cuenta de lo que pasaba, decidió ir

por el otro lado para cortarle el paso al hombre mientras Hans lo perseguía siguiendo su camino.

—¡FBI! ¡Detente! —gritó Hans, pero el sujeto no tenía la intención de parar.

Cuando el perseguido llegó a la parte alta de la cerca, maniobró para subirla y montarse sobre ella. Luego miró hacia abajo y se lanzó directo a la calle que cruzaba la parte de atrás de los locales. Cayó sobre unos depósitos de basura.

Hans subió y bajó la cerca con mayor destreza que el perseguido y al poco tiempo ya ponía las manos sobre su espalda y lo tumbaba al suelo.

—No he hecho nada. No he hecho nada malo… —repetía el hombre a gritos mientras Hans lo inmovilizaba. A pocos pasos estaba Marina, quien había llegado corriendo por la calle.

—¿Cómo te llamas? —preguntó Hans una vez de pie.

—Fulton, Jean Fulton —respondió.

—¿Por qué corrías? —preguntó Marina.

—Porque los vi llegar y se nota que son policías. Sentí miedo por lo de la galería. No es idea mía matar animales allí. Es mi socio, quien dice que eso atrae a los chicos ricos. Ni siquiera me gusta que las paredes y los pisos se llenen de sangre…

10

Morgan City, 15 de julio, 7:00 p. m.

MARINA SE ENCONTRABA en una de las salas de interrogatorio del Departamento de Policía de Morgan City. Se disponía a interrogar al detenido.

Hans se hallaba mirando desde detrás del vidrio ciego.

—Jean Fulton, ya sabemos que su galería tiene un uso ilegal; jugar al tiro al blanco con pájaros y ardillas no está permitido.

—Lo sé. Ya se los he dicho, no fue mi idea, sino de mi socio. Dice que eso atrae gente por la novedad...

—Pero no estamos aquí por eso. Nos interesa saber si ha visto a esta mujer en su bar —preguntó Marina al tiempo en que le mostraba una fotografía.

Se veía a una mujer un poco mayor de cuarenta años, caucásica, de rostro delgado y tez pálida. Su pelo blanco tenía mechas grises azuladas y un flequillo que rozaba sus ojos. Tenía el cuello alargado y los brazos delgados. Se hallaba junto a unos cuadros y unas esculturas. Se trataba de Vera Page.

—Sí. Sé quién es. La he visto en la escuela Bayou. Era profesora hace dos años. Fui encargado de limpieza allí durante unos meses, pero no he vuelto a verla desde entonces.

—Está mintiendo —dijo Hans del otro lado del vidrio en una sala vacía, acercándose para tocar con la punta de los dedos el cristal.

—¿Y a esta chica la ha visto en el bar? —preguntó Marina mostrando una foto de Sanna Barthes.

—En el bar no, en la galería. Era de las que más asistía. Le encantaba matar animales. Tenía problemas, estoy seguro. Uno sabe eso solo con mirarlos. Y tanto era así que resultó muerta, ¿no? Lo vi en el periódico. Mala cosa esa.

—¿Nunca vio a esta chica hablar con la maestra Vera Page?

—Le he dicho que no he visto más a esa maestra. Tal vez hablaron en la escuela, porque según la prensa esa muchacha estudiaba en la Bayou, que es donde estudian todos los ricos de esta ciudad. Pero yo no lo sé. Cuando uno trabaja en una escuela, todas las chicas y chicos parecen iguales. A la muchacha esa, por ejemplo, no puedo decir que la haya visto alguna vez en la escuela. A la maestra sí, porque es diferente.

—¿Por qué es diferente? —preguntó Marina, abriendo un poco más los ojos. Hans, al otro lado del cristal, pensó que esa era la pregunta que había que hacer en ese momento.

—Muy bien, Marina... —dijo Hans en voz alta y se concentró en la expresión del interrogado.

—Porque no es normal que las maestras de esa escuela, ni de ninguna, tengan la apariencia que tiene esta. Es atractiva. Aunque siempre andaba de mal humor. No era para nada amable.

—Si ni la maestra ni Sanna Barthes han pisado su bar,

¿cómo explica esta nota? —preguntó Marina mientras le mostraba las palabras escritas en el programa de graduación que habían sacado de la cartera de Sanna: «Vera, te vi en el bar Oasis. Sé lo que estás plane...».

—No la puedo explicar —respondió Fulton, sentándose hacia atrás y pasando una de las manos por su grasiento pelo marrón oscuro.

—Sabe algo y no quiere decirlo —dijo Hans en voz alta de nuevo, pero ya no estaba solo. Acababa de llegar al salón donde se hallaba un oficial de policía que llevaba entre sus manos unos papeles.

—La agente Marina pidió el listado de transacciones realizadas en el bar Oasis desde los primeros días de julio hasta el doce, día del asesinato de los Barthes. Aquí están.

—Gracias —respondió Hans extendiendo la mano para recibir las hojas impresas.

Esperó a que el oficial se fuera y miró el contenido de los papeles. Había un nombre conocido. Alguien que consumió en el bar la noche del 11 de julio, apenas un día antes del asesinato de los Barthes. Pero él dejaría que fuera Marina quien se encargara de interrogarlo porque tenía algo más urgente que hacer.

Se trataba de un viaje al pasado que ya no podía seguir posponiendo.

PARTE III

1

Aeropuerto Internacional Louis Armstrong, Nueva Orleans, Luisiana, 16 de julio

EN LA MADRUGADA del día siguiente Hans se hallaba sentado frente a la puerta de embarque para abordar un avión que lo llevaría a Washington D. C.

Desde la noche tenía una sensación de sequedad constante en la boca que no había podido resolver. Debía obligarse a tomar agua y a comer. Desde aquel bistec que devoró en el hospital no recordaba haber comido nada más.

Había comprado un ejemplar del Washington Post con la esperanza de que alguna noticia le hiciese pensar en otra cosa lejos de Benny y de la posibilidad del edema en la cabeza de Julia. Pero el deseo no se vio cumplido. Después de hojearlo, lo puso con resignación sobre la silla vacía que tenía a su lado.

Lo que más le dolía era no tener idea de la apariencia de Benny en la actualidad. Había mirado una y otra vez la fotografía de Albert Preston y algunas veces pensaba que podía ser él, y otras estaba convencido de que no lo era. También había buscado información sobre Dick Amery y le sucedía lo mismo. Ambos coincidían con la edad que tendría Benny. Y este pudo haberse cambiado el nombre, usurpado alguna identidad. Sabía que no tenía fundamento para pensar en eso, pero lo hacía.

—¿Cómo alguien se va a hacer pasar por otra persona? Para hacerlo en esta época tendría que venir de otro país, para que nadie lo conociera y todos creyeran que era quien decía ser. Como hizo el asesino serial que entrevisté, que luego de cometer crímenes atroces en el país se fue a refugiar en un pueblo de Dinamarca. Allí vivió al menos quince años diciendo que era otra persona —reflexionaba Hans.

Pensaba que lo que tenía hasta ahora era información de Amery y de Preston desde sus estudios universitarios, pero que no sería difícil comprobar que eran quienes decían ser hablando con sus familiares y amigos de la infancia. A simple vista Hans no encontraba nada raro en la trayectoria de vida de Preston y de Amery. Al último lo vio en un video promocionando sus capacidades parapsicológicas. Tenía cincuenta y dos años, pero sus movimientos y su forma de andar parecían de una persona más joven. Siempre sonreía. Había estudiado Psicología en Nueva Orleans. Había realizado su tesis sobre los sistemas penitenciarios.

—¿Y si fue allí donde conoció a Benny, y es su aliado? —se preguntó en voz alta en una súbita ocurrencia.

Entonces sus pensamientos volvieron hacia Preston. Sabía que era un ingeniero de cincuenta y cuatro años, exesposo de Diane Barthes. Averiguó que llegó al país desde Escocia cuando tenía veinte años. Eso lo hacía parecer más sospechoso a sus ojos.

Sintió de pronto que ese camino de elucubraciones no lo llevaría a ninguna parte.

Estaba seguro de que, si alguno de ellos era o tenía que ver con Benny, habría sabido borrar bien todo lo que condujera a develar algo comprometedor, porque desde el momento en que se atrevió a enviar ese correo al FBI y a atacar a Julia era obvio que habría cubierto muy bien su rastro. Confiaba más en que hablando con su madre lograría descubrir algo sobre Benny con lo que él no contara.

Se levantó impaciente porque ya era hora de que comenzara el embarque, pero ni siquiera había llegado el personal de la línea aérea. Miró a las sillas que estaban ocupadas cerca de él. Había una mujer que a todas luces viajaba por trabajo. A su lado, una chica joven que llevaba consigo un portacartel y otro sujeto con pantalón azul y una chaqueta negra de cuello alto, que no desprendía la mirada de la chica. Más lejos vio a varios hombres de negocios con cara de haber pasado mala noche.

Volvió a sentarse en la misma silla de antes y de golpe se hizo una pregunta:

—¿Qué papel juega Vera Page en todo esto?

Se frotó la barba con las manos. Los ojos le ardían. De pronto, un olor agradable lo sacó de sus cavilaciones. Se trataba de un aroma que le pareció pastel de durazno, similar a uno que adoraba comer en casa y que su madre preparaba.

Como hipnotizado, se dirigió al mostrador de donde provenía el olor, pero, al levantarse, sin querer tropezó con la chica del portacartel, que se había levantado también y caminado en dirección a él.

Cuando llegó al mostrador, le pidió a un hombre que tenía la nariz enrojecida y apariencia de enfermo —como si hubiese pescado un resfriado— un trozo de tarta y una Coca-Cola. Mientras comía el pastel se sintió de nuevo un niño. Esa tarta era de las mejores cosas que recordaba de su infancia y de su madre.

—Mamá la preparaba con más frecuencia cuando ya se

había ido Benny… Era como si hubiese sido más feliz porque él ya no estaba… ¿Por qué? —se preguntó mientras saboreaba el pastel.

De pronto sintió un escalofrío. Uno que produjo en él un temblor que casi hace caer el vaso con Coca-Cola. La mujer que había visto antes estaba cerca de él y pidió un café solo.

2

Vio al personal encargado del embarque en la puerta número 15. Era la de su vuelo, y se sintió aliviado porque necesitaba avanzar y descubrir algo.

Pagó la cuenta al hombre que vestía uniforme azul, el de la nariz enrojecida y los ojos vidriosos, y volvió a la silla donde había estado. Entonces sucedió algo inesperado: la chica de antes, con la que tropezó al salir a buscar la tarta, estaba en ese momento sentada en la silla contigua. Se inclinó para aproximarse a él y le dijo al oído con voz apenas audible:

—Tiene que ayudarme. Ese sujeto me está siguiendo desde que llegué ayer en la mañana. No sé cómo se enteró de que iba a volar hoy, ni por qué está haciendo esto, pero estoy segura de que me está acosando. No lo estoy inventando. He mirado aquí a quién podría recurrir y me ha parecido que usted podría ayudarme. ¡Tiene que creerme!

La chica era muy joven, de unos dieciocho años a lo sumo. Hans recordó que era cierto que un hombre de unos treinta años no le quitaba la mirada de encima a la chica. Ella no parecía desequilibrada ni tampoco ansiosa por llamar la aten-

77

ción. Había mostrado buen tino al elegirlo a él de entre todas las personas que se hallaban cerca de la puerta de abordaje. Decidió creerle. Entonces volteó a mirar al hombre, quien ya no estaba allí.

Hans se dirigió a un agente de seguridad del aeropuerto, se presentó y le contó lo sucedido. La chica se llamaba Clare Spencer, era estudiante de Arquitectura y había ido a Morgan City para visitar el Museo Internacional del Petróleo. Denunció que, cuando salió del museo, notó que una persona la seguía al llegar a la calle Barrow y cuando llegó al hotel. Después intentó calmarse y trabajó un rato, dentro de la habitación, en el proyecto de la universidad que la había llevado hasta allí. Luego en la noche salió a comer algo y allí estaba otra vez el mismo hombre. Se aterró al verlo. Decidió volver al hotel, comer algo en la habitación, avisar en la recepción lo que sucedía y olvidarlo todo. Pensó que ya al otro día tomaría un avión y olvidaría la mala experiencia. Cuando el encargado de seguridad del hotel fue a buscar al sujeto, no lo encontró por ninguna parte. Creyeron que eran invenciones suyas.

—Pero hoy en la mañana, cuando subí a la furgoneta del hotel que ofrece el servicio de traslado al aeropuerto y me asomé por la ventanilla, lo vi. El conductor estaba a punto de arrancar y él le dio tres golpes a la carrocería desde afuera, muy cerca de donde yo me hallaba, como para que me diera cuenta de que estaba allí por mí, para que no lo ignorase. Todavía recuerdo eso y se me eriza la piel. Entonces me dije «ya está, se acabó». Hay muchos locos sueltos y uno debe reaccionar desde el principio porque siempre se cree que se está fuera de peligro, pero no es verdad... —dijo Clare.

El funcionario de seguridad actuó con premura y en pocos minutos alertaron a todo el personal de las líneas aéreas y de las puertas de embarque sobre la apariencia del acosador; su vestimenta y su descripción física.

Hans acompañó a la chica de vuelta a la puerta. Pero entonces unas de las palabras que ella había dicho volvieron a él. Lo del «principio, desde el principio…». ¿Cuál era el principio de sus dudas sobre la participación de Benny en el caso que investigaba Julia? El correo electrónico. A raíz de este fue que comenzó a sospechar que se trataba de Benny. Y había algo en él a lo que no había prestado suficiente atención: el nombre de Hermes. ¿Por qué Hermes? ¿Sería que desde el principio había estado equivocado buscando a un hombre? Sabía que, en la mitología, Hermes era un dios de diferente forma, ingenioso y de astutos pensamientos. Y era el padre de Hermafrodito, a quien luego los dioses convirtieron en andrógino. Recordó que el mito se basaba justamente en que Hermafrodito se fundió con un ser femenino —la ninfa que lo amaba— y por ello resultó con ambos sexos en su propio cuerpo… ¿Y si Vera era la ninfa y de alguna manera Vera Page era Benny Culpepper o estaba unido a él de forma inseparable?

Recordó que Marina había pedido conocer todo sobre la vida de Vera Page. Ahora mismo Marina creía que su viaje se debía a una enfermedad de cuidado de su madre. Dejaría que lo siguiera creyendo, pero apenas fuera una hora adecuada la llamaría para obtener la información que hasta ahora manejase sobre la maestra.

No tuvo que esperar, la misma Marina llamó a Hans en ese momento. Eran las cinco y media de la mañana.

—Te está siguiendo, Hans. Han enviado una foto a nuestro correo y en ella apareces entrando en el aeropuerto Louis Armstrong. En cuanto me informaron, me puse en acción. Albert Preston vive en una casa y no hay cámaras de vigilancia, así que es imposible saber si salió y si estaba en el aeropuerto hace minutos. Y Dick Amery vive en un piso en las residencias frente al río Bayou, al noroeste de la ciudad, y tampoco tenemos forma de saber si ha estado en casa. A las seis de la mañana, todos los días, conduce un programa de radio y le pudo dar tiempo de ir, tomarte la fotografía y volver sin problema. Eso solo por nombrarte a las personas que estamos comprobando si es cierto que son cercanas a Vera Page, quien continúa en el mismo estado comatoso y es nuestro principal sujeto de interés.

—Envíame la fotografía. Gracias por avisarme —respondió Hans.

—Creo que debes contar con protección. Tu compañera ha sido atacada y casi resulta muerta, y ahora eres tú quien está en la mira de quien sea que esté haciendo esto —dijo Marina.

Por primera vez tuteaba a Hans y parecía preocupada por él.

—No creo que me haga nada. No por ahora. Es solo el placer de la persecución, de la vigilancia, lo que lo mueve —respondió Hans mientras miraba a Clare, quien ahora, más tranquila, admiraba unos planos que sacó de su portacartel—. Marina —continuó Hans—, hay algo que voy a pedirte, pero antes quiero preguntarte si has averiguado algo sobre la vida de Vera Page.

—Esa chica tiene problemas. Puedo enviarte lo que tengo hasta ahora.

—¿Qué clase de problemas? —preguntó él de inmediato.

—Psiquiátricos. Cuando era adolescente tenía un delirio recurrente. Decía que un hombre vivía dentro de ella y la obligaba a hacer cosas.

3

EL AVIÓN ATERRIZÓ a las nueve de la mañana en el Aeropuerto Nacional Ronald Reagan, en Washington D. C.

Clare se dirigió a Hans y le dio las gracias por lo que había hecho por ella. Sobre todo por creerle.

—No es fácil que a uno le crean así como usted lo hizo. Tuve suerte de que estuviera allí.

—No fue suerte. Tienes tino para hacerte una idea de las personas. No sabías que era un agente del FBI, pero algo viste en mí que me hacía diferente al resto de los viajeros que nos han acompañado en este avión.

—Es que no puedo creer que gracias a usted…

Dejó la frase inconclusa, se le acercó, le dio la mano, lo abrazó brevemente y se fue.

Hans contuvo la emoción. Sintió ese gesto como una de las mejores distinciones de su carrera y, sin embargo, calló. No estaba acostumbrado a ventilar sus emociones y no le era fácil hacerlo con una persona desconocida. Además, reconocía estar más vulnerable que de costumbre en ese momento.

Sabía que era por lo de Julia, por el peligro que había corrido y porque se culpaba al creer que Benny estaba detrás de todo.

Salió del aeropuerto y, cuando sintió el aire fresco al cruzar la puerta, decidió que fumaría un cigarrillo. Había prometido a Fátima dejarlo, pero no se enteraría. Tenía que relajarse antes de llegar al apartamento donde vivía su madre.

Volvió a entrar y buscó la tienda que conocía, donde en otras oportunidades había comprado tabaco. Compró una cajetilla de Camel y un encendedor. Salió y se detuvo junto a otros dos fumadores que parecían estar disfrutando el último cigarrillo de sus vidas, haciéndose a la idea de que se iban a enfrentar a varias horas de vuelo sin poder hacerlo.

—¿Un hombre dentro de ella? —se repitió al recordar los delirios de Vera.

No sabía si tenía que ver con el nombre que el asesino se había puesto a sí mismo, pero le resultaba mucha casualidad lo de Hermes, Hermafrodito y la ninfa fundida con el asunto de que Vera dijera que un hombre vivía dentro de ella.

Entonces comenzó a imaginar cómo sería la vida de Benny y volvió a caer en lo que le desesperaba; no tenía idea de cómo podría verse el día de hoy. Lo recordaba un poco, entre sombras, como un chico alto, inteligente, ocurrente, pero también triste, que siempre estaba en la cocina de la casa. ¿Cuál era la razón de la tristeza de Benny? Se respondió que debió contribuir a ella su padre Chad, un sujeto despreciable, maltratador y borracho. Era incluso peor que su propio padre, que ya era decir bastante.

Dio la última bocanada, apagó el cigarrillo y se fue a buscar un taxi.

Media hora después, abría la puerta del edificio donde vivía su madre. Cuando lo hizo, se cruzó con un hombre que salía. Este llevaba un maletín parecido a los que utilizan los médicos. Hans no reparó en su rostro.

Presionó el botón de llamada del ascensor y esperó. Miró la hora en el reloj que le había regalado Fátima. El aparato llegó y se subió en él. Venía vacío. Presionó el número 3. No había avisado de que iría, pero esperaba que su madre estuviese despierta. Fue cuando comprendió que el hombre con el cual se había cruzado debía ser el fisioterapeuta de su madre. Pero él creía que las sesiones eran los martes y los jueves, y era viernes. Le pareció extraño.

En la medida en que el aparato ascendía, se fue encendiendo en Hans una duda espantosa: ¿y si no era un fisioterapeuta?, ¿y si la venganza de Benny no era hacia él, sino hacia su madre? Pudo haber viajado con él en el mismo vuelo y por eso tomó la foto del aeropuerto. Él no conocía su apariencia, y además, con lo de la chica, no se había fijado muy bien en los hombres que abordaron el avión. Quizás uno de los que tomó por hombres de negocios medio dormidos era Benny, ¡y él se había quedado fumando, dándole tiempo...!

—¡Maldita sea! ¡No puede ser! —exclamó en voz muy alta.

Tal vez por eso —pensó— mataba familias completas, porque no se atrevía a matar solo a las madres, porque en su psiquis había culpa y remordimiento por odiar a una persona que debía amar. O quizás matase a Teresa y a Diane de últimas para hacerlas sufrir mientras ellas veían a los otros miembros de la familia morir. A quien estaba asesinando al matarlas era a su propia madre...

Hans contuvo la respiración y los segundos que tardó el ascensor en llegar al tercer piso le resultaron una eternidad.

4

LLAMÓ A LA PUERTA con desesperación mientras pedía a Dios que estuviese bien.

Se acordó de la última vez que vio a su madre, vestía una blusa estampada que le gustaba usar, mostraba su cara de resignación. También la recordó joven, pero nunca risueña. Ella pocas veces se reía. Su madre también era triste, como Benny.

—Tienes que estar bien, tienes que…

Cuando iba a usar su llave para entrar, y su pulso temblaba, escuchó una voz dentro. Era su madre, que pedía que esperara y preguntaba quién era.

Hans cerró los ojos y retornó a la calma. Volvía a respirar.

—Hans, ¿pero qué haces aquí? —pronunció apenas abrió la puerta.

—Nada, mamá. Tengo que hablar contigo.

Ella terminó de abrir para que Hans pasara. Se quedó aguardando su entrada apoyada en un bastón.

—Veo que estás mucho mejor de las piernas —dijo Hans mientras avanzaba y ella cerraba la puerta y lo seguía.

—¿Mejor? Pues sí. Es verdad. Ahora solo uso la silla de ruedas para salir a la calle, y prefiero el bastón y no la horrible andadera. Además, Micky es un excelente fisioterapeuta. Una maravilla en su trabajo, muy profesional. No como el otro, ni siquiera recuerdo su nombre. No me gustaba, miraba todo aquí en casa y casi no me hablaba.

Ahora se hallaban frente al salón. Ambos se detuvieron.

—¿Micky anda con un maletín de médico?

—Sí. Acaba de irse. Hoy le he ofrecido café y pastas. ¿Quieres?

—Estaría bien, mamá. Lo del café. Más temprano me he comido una tarta como la que tú hacías cuando era pequeño.

La madre de Hans se adelantó para dirigirse a la cocina y Hans la siguió. Él se sentó en la silla junto a la mesa y ella se dirigió hacia una mesita cerca del refrigerador, donde estaba una bandeja para pasteles y la cafetera.

—Ya sé. La de durazno. Esa era tu preferida —respondió mientras buscaba una taza.

Hans esperó a que su madre sirviera la taza de café y la llevara a la mesa.

—Siéntate, mamá. Tengo que hacerte unas preguntas.

—¿Sobre qué?

—Sobre Benny.

Se oyó un ruido. La taza cayó al suelo y después el silencio levantó un muro entre los dos.

Hans se levantó y recogió los pedazos de la porcelana y los tiró en el depósito de la basura bajo el lavaplatos. Luego buscó papel absorbente en el portarrollos que había en la pared. Secó el suelo y botó el papel. Su madre estaba callada y se había sentado. Miraba fijamente un punto, pero en realidad no estaba mirando nada. Solo recordaba lo que había sucedido el día antes de que Benny se fuera.

—¿Qué quieres saber de Benny? —preguntó una vez que Hans se volvió a sentar.

—¿Por qué se fue de casa?

—Porque quiso irse.

—Mamá, tenía quince años, no más. Ningún chico se va de casa a esa edad solo porque «quiera irse» —refutó Hans.

—Puede ser, pero Benny no era como cualquier chico.

—¿Por qué dices eso?

—No entiendo a qué viene ese interés por Benny ahora. Nunca más supimos de él. Nos dejó y ya. No hay nada que decir. Su padre era un mal hombre y yo cometí el mayor error de mi vida al tener a Benny con él. Pero era muy joven.

—Lo sé, mamá. Y no te estoy culpando de nada. Solo necesito saber más sobre Benny.

—Era malo, Hans. De mal corazón. No era como tú o tus hermanos. Solo eso debes saber. Ahora voy a acostarme porque me he mareado. Puedes quedarte un rato y después comemos juntos. Podría preparar algo más tarde, pero, hijo, no quiero hablar del pasado. No me hace bien.

—Solo dime una cosa más. ¿Tú lo echaste de casa?

—Sí. Era nefasto. Y ustedes estaban muy pequeños. Tú estabas muy pequeño.

Hans se quedó pensando mientras veía a su madre salir de la cocina. Solo sacó en claro una cosa: ella necesitaba comparar y contraponer a las personas que estaban a su alrededor. Lo que había hecho con Micky y el anterior fisioterapeuta; uno bueno y el otro malo. Eso debió hacer con Benny y con él, aunque fuera diez años menor. Benny sería el malo solo por ser hijo de Chad Culpepper, y él sería el bueno solo por no serlo.

Pero sabía que había algo más. Un secreto que su madre no estaba dispuesta a revelar.

5

HANS SALIÓ del apartamento de su madre minutos después de que ella lo dejara en la cocina.

Apenas estuvo en la calle llamó a la oficial Anne Ashton, de Wichita. Le dijo que necesitaba que le ayudase a ubicar a Chad Culpepper y a Benny Culpepper. No le explicó nada más y ella tampoco preguntó. Anne y él siempre se habían entendido. Era una mujer inteligente y de inmediato comprendió que era un encargo personal, y que debía ser importante. Supuso que tenía que ver con el atentado contra Julia.

Hans caminó una calle más mientras ponía en orden sus ideas y luego levantó el brazo para detener un taxi. Dio la dirección de su apartamento y una vez en camino compró el boleto aéreo para el próximo vuelo a Wichita a través de su teléfono. Apenas terminó de hacer eso, recibió la llamada de vuelta de Anne.

—Chad Culpepper fue contratado en 1982 en Mount Hope, en una propiedad que se pondría en venta y que ahora está deshabitada. Desde ese momento se le pierde el rastro. La propiedad era una granja de Douglas Vincent. De Benny Culpepper no he encontrado nada. Estuvo registrado en la escuela hasta los quince años. Luego ni trabajo ni estudio ni residencia. Desapareció del mapa.

—Voy para allá, Anne. En el primer vuelo que sale mañana. Necesito tu ayuda. Debo ir a ese lugar, a Mount Hope. ¿Podrás acompañarme? No es algo oficial, pero es muy importante…

—Está bien. Puedo hacerlo. Te espero —respondió Anne y cortó.

Hans pasó las siguientes horas ensimismado. Intentaba sacar más pistas de su pasado y de los pocos recuerdos con los que contaba, pero no le era posible. Para él, Benny se reducía a la imagen de un chico que reía, que siempre estaba cerca de su madre y nada más.

Wichita, Kansas, 17 de julio

Cuando a la mañana siguiente llegó al aeropuerto de Wichita y Anne lo aguardaba, estaba sumamente impaciente. Dos horas después se hallaban en Mount Hope, entrando en la propiedad de Douglas Vincent.

Era un rancho de gran tamaño, abandonado. Había servido de guarida en algún momento. Lo supieron porque encontraron un colchón casi deshecho en el piso de una de las habitaciones, junto a una ventana rota.

De pronto, escucharon un ruido que los alertó.

—Deben ser ratas —dijo Hans, pero eso no tranquilizó a Anne, porque las detestaba.

—Este lugar está en la ruina. Los chicos están investigando, pero creemos que su estado se debe a un desacuerdo familiar. Douglas Vincent nunca vendió y luego murió. Uno de sus hijos quería vender y el otro no. No llegaron a un acuerdo y perdieron la propiedad. Es de esas historias sin pies ni cabeza que suceden en las familias. ¿Qué quieres encontrar exactamente? —preguntó Anne.

—Cualquier cosa que haya pertenecido a Chad Culpepper. Algo que me dé una idea de lo que pudo hacer luego y si tuvo contacto con su hijo Benny.

Anne asintió.

Miraron todas las habitaciones de la casa principal. Estaba llena de muebles viejos y objetos empolvados. El aire estaba viciado.

Entraron en una habitación que parecía un estudio. Un globo terráqueo de madera podía verse sobre un gran escritorio. Y detrás, una estantería con algunos libros.

Hans se acercó a ellos. Encontró uno sobre trastornos psiquiátricos y otro sobre fenómenos paranormales. Estos se hallaban apartados de los otros, como si alguien los hubiese utilizado y a propósito los hubiese alejado de los demás. Eso llamó la atención de Hans y por eso los tomó. Abrió la primera página de uno, y luego del otro. Obtuvo lo que buscaba. Ambos tenían escrito en la primera página el nombre «Benny».

—Entonces estuvo aquí, con su padre. Lo sabía. Aunque fuera un monstruo, no tenía a quien más recurrir —dijo Hans en voz alta.

Anne se acercó y vio la firma. Hans le había contado en el camino al rancho lo que estaba temiendo acerca del asesino de las familias y de Ramsey, y atacante de Julia. Le confesó que podría tratarse de su hermano.

Después ella miró hacia la empolvada estantería y encontró unas cartas sueltas del tarot y una hoja de papel satinado doblada en dos partes, de los que contienen los libros de anatomía que se despliegan y muestran en detalle el cuerpo humano. Anne lo tomó para abrirlo y de este cayó al suelo una fotografía de dos chicos, y en medio una niña pequeña.

Hans la recogió.

El chico, que parecía mayor, mostraba una escopeta y la chica sonreía. El otro muchacho estaba levantando la cornamenta de un ciervo muerto.

—Podría ser. Uno de ellos podría ser Benny —dijo Hans mirando a Anne.

6

Hans le dijo a Anne que analizaría todos los libros, uno por uno y cada página, porque tal vez encontrara algo más. Ahora sabía que Benny había vivido allí.

Anne le respondió que mientras hacía eso ella daría una vuelta por los alrededores.

—Vi dos ranchos cercanos cuando veníamos. Tal vez algunos de sus habitantes recuerden a Culpepper. Voy a dar un vistazo por allí.

De pronto, Hans cayó en la cuenta de que podía ser que Benny lo estuviera vigilando y que eso podría ser peligroso en ese lugar si los tomaba desprevenidos. Pensó en la seguridad de Anne porque no se perdonaría que algo le pasara, así como le ocurrió a Julia.

—Ve con cuidado. Podría estarnos vigilando y tiene buena puntería.

Anne lo observó con una mirada que Hans no supo traducir y salió de la casa.

Al cabo de cuarenta minutos, Hans escuchó pasos.

—¿Eres tú, Anne? —preguntó con la mano en el arma.

En los instantes siguientes la soltó porque vio a su compañera aparecer en el umbral de la puerta de la habitación.

—Sí. He hablado con las personas del rancho más cercano. Les pregunté si recordaban al guardia del rancho Mount Hope de la época en que estuvo aquí Chad Culpepper. Una mujer que vive aquí desde que nació asegura que el guarda tenía una hija. Una chica que vivió con él durante al menos dos años y que luego dejó de verla, pero recuerda que la chica se la pasaba con una escopeta bajo el brazo y que disfrutaba de manera absurda de la caza. Tal vez sea hermana de él, de Benny, e hija de Chad. Sin embargo, el otro vecino del rancho más lejano lo niega y habla solo de un chico. Fue lo único que conseguí.

—Chad y Benny pudieron venirse a este lugar tan apartado y solitario por alguna razón. Chad era una mala pieza y pudo haber estado involucrado en algo ilegal, y tal vez por eso desapareció de la forma como lo hizo. O porque lo asesinaron o porque decidió que nadie pudiera encontrarlo. Y lo mismo para Benny —dijo Hans mientras se quitaba el polvo de los pantalones, que se habían ensuciado cuando se sentó en el suelo para revisar los libros.

En ese momento escucharon un disparo a lo lejos.

—En esta zona es imposible no escucharlos. Todo el mundo está armado y disparan cuanto quieren. ¿Y si alguno de ellos terminó muerto en una confrontación? Al menos el padre era violento, y en este lugar apartado cualquier cosa podría haber pasado —argumentó Anne.

—Tienes razón. ¿Podrías pedir algún favor y traer a una unidad canina?

—No lo sé. Tal vez pueda conseguir a Edwin y sus perros. Déjame hacer una llamada.

Al cabo de unos minutos, Anne le dijo a Hans que habían

tenido suerte, pero que la unidad canina especialista en restos humanos no iría sino hasta la tarde.

—¿Me tendrás al tanto? Debo volver a Morgan City ahora mismo. Mientras llamabas, yo también hice una llamada y hay alguien que me puede dar una información valiosa. Me veré con esa persona en cuanto llegue allá. Voy a llevarme estos dos libros que pertenecían a Benny, y también la fotografía. Tal vez, mirando esto, algo se me ocurra. Hasta ahora, por ejemplo, me he dado cuenta de que ciertas páginas muestran más uso que otras. Tengo que despejar mi cabeza para explicarme la razón de ello. Ya he perdido mucho tiempo, y siento que la imaginación para anticiparme y para descubrir claves está abandonándome. Ahora volvamos al aeropuerto.

Anne se dio cuenta de que Hans estaba muy afectado. Recordó cuando lo conoció, y hubiese dado lo que fuera por verlo como en ese entonces.

7

Morgan City, 17 de julio, 3:00 p. m.

APENAS HANS LLEGÓ A MORGAN CITY, llamó a Marina. Esta lo puso al tanto de sus investigaciones sobre Vera Page.

—Como te escribí, parece que ha tenido una pésima relación con su madre, quien quedó en estado vegetativo luego de un accidente de auto en Boise, hace tres años. Proviene de una familia acomodada. Ha tenido problemas psiquiátricos y más joven desarrolló ciclos de doble personalidad. Dicen que ella afirmaba que había un hombre dentro de ella que la obligaba a hacer cosas. Parece que fue un periodo crítico en la chica, en plena adolescencia. Hemos obtenido un informe de la escuela donde Vera hizo sus estudios, porque una maestra de ella ha hablado. Pero a la vez resalta que nunca fue peligrosa. Que solo se había metido en problemas porque algunas veces desarrollaba relaciones con chicos inadecuados. Parece que tenía tendencias autodestructivas y una de ellas era relacionarse con gente que terminaba desfavoreciéndola.

—¿Sabe disparar armas?

—También investigamos eso en las galerías de tiro y en las batidas de cazadores. Parece que sí le gustan las armas. Hablamos con un miembro del club de caza al cual perteneció Vera a los veintidós años. Ella era la más joven del club. La mayoría eran hombres y de más de treinta, pero se sentía cómoda en ese ambiente. Jack Pullman, del club de caza, nos ha dicho que Vera aprendió a cazar en el rancho de unos amigos, en Kansas, años atrás.

—Es la niña —sentenció Hans.

—¿Cuál niña?

—Ahora mismo voy en el taxi. Primero debo hacer algo —dijo al tiempo que miraba un papel que había sacado del bolsillo— y luego iré al Departamento de Policía. Espérame porque tengo algo que mostrarte. Oye…, Marina, ¿cómo está Julia?

—Evoluciona bien porque no hay inflamación. Va a salir de esta.

Hans cortó la comunicación y se quedó mirando las calles de la ciudad. Eran las siete y media de la tarde y el sol aún calentaba. No veía la hora de volver a hablar con Julia y de percibirla con toda su vitalidad intacta.

De pronto se dio cuenta de que la vía estaba obstruida por un cartel de desvío. Pidió al taxista que lo dejara en ese lugar y decidió continuar a pie. Solo tendría que atravesar una pequeña calle para llegar. El conductor hizo lo que le pidió, así que Hans continuó caminando y se adentró en un callejón muy estrecho.

Estaba distraído, pensando en Benny y en la razón por la cual había firmado esos libros y no otros, justamente esos dos. Uno de ellos trataba sobre fenómenos paranormales, y esa era el área de experiencia de Amery.

—¿Por qué ahora esa mujer está en coma sin explicación?

¿Habría sido Benny quien la llevó a ese estado administrándole alguna droga?

Eso se preguntó mientras caminaba. Sintió calor y se aflojó el nudo de la corbata. También tuvo sed. No recordaba la última vez que había tomado agua.

Entonces pasó por el lado de un conjunto de cajas de cartón y madera que formaban una pila alta, donde alguien podría esconderse. Escuchó el maullido de un gato muy cerca.

Cuando estaba llegando al final de la calle y a punto de cruzar a la izquierda, sintió un impacto en la espalda. No creyó que fuera una bala común.

Eso fue lo último que pensó…

PARTE IV

1

—«Agente Hans Freeman»... ¡Tengo que decirte que me gusta llamarte así! Eres una buena persona y has logrado grandes cosas en tu vida, y muchas veces me dije que lo primero que haría sería felicitarte.

Me gustaría saber —continuó— si has sentido alguna vez cómo dos sentimientos se enfrentan dentro de ti. Me refiero a cuando odias y amas a alguien por igual.

Eso dijo en voz muy alta la persona que le había disparado horas antes a Hans, usando una munición portadora de una sustancia anestésica, en aquella calle de la ciudad que quedaba a hora y media de camino de donde ahora estaban.

Se hallaban en una casa en medio del pantano y cerca del río Bayou. Era una propiedad que le había comprado a un arquitecto amante de la naturaleza, quien también la diseñó. La compra había incluido un viejo hidrodeslizador, con el que paseaba a través de los canales del pantano.

La casa de 25 metros cuadrados se sostenía sobre pilares debido a la inestabilidad del terreno, y sus paredes eran mitad de madera y mitad de cristal. En el área de la sala, con una visión de 360 grados, podía admirarse el escenario natural que rodeaba la edificación.

Pero Hans no estaba en la parte visible desde el exterior de la cabaña. Se hallaba en un cuarto con paredes de madera y de apenas tres metros cuadrados, justo al lado de la cocina.

Estaba inmóvil pero consciente, y escuchaba aquella voz muy cerca de él. También percibía un olor a vegetación húmeda. No podía abrir los ojos, pero lograba sentir la respiración de su atacante. Eso lo hizo pensar que este se hallaba sentado e inclinado hacia donde él estaba, para estar más cerca de su cara.

Se decía a sí mismo que no podía desesperarse y que ahora solo contaba con su cerebro como única arma. Comprendía que quien le hablaba le había administrado algo que lo dejó en esa condición. No podía mover ninguna parte de su cuerpo y solo podía escuchar.

—Sé que no puedes responderme, pero es necesario que me oigas, porque tengo muchas cosas que explicarte. Verás, agente, lo primero que quiero decirte es que has cometido una equivocación a lo largo de tu vida. En el buró deben haberte formado bajo la idea errada de que solo los asesinos desalmados matan. Pero una buena persona también debe ser cruel en determinadas circunstancias. La hipocresía común ha pretendido mostrarnos esas dos cualidades como antagónicas, y no lo son; me refiero a la crueldad y a la bondad. Claro que es verdad que si uno cuenta con impulsos destructivos debe atenderlos y encauzarlos para buenos fines, y allí está la clave. Sé que me comprendes porque tú lo has hecho, y a la vez has estado cerca de alguien violento por naturaleza, como lo era Goren. ¿Lo recuerdas?

Hans se alarmó: sabía lo de Goren. Pensó que, quien lo había raptado, lo conocía bien; hasta el trauma que le había ocasionado ese evento con Goren en su adolescencia.

—Sé que lo recuerdas, porque esas cosas no se olvidan. Y entonces uno dice: no voy a ser así de bestia, seré diferente… Yo, por ejemplo, también caí presa de un impulso violento hace algún tiempo ya, lo que no suelo hacer a menos que no haya más remedio. En esa oportunidad tuvo que ver con una mujer llamada Miranda Valetta. ¡Ella me resultaba insoportable! Era egoísta y mezquina. De ese tipo de gente que condena a una vida miserable a las personas que valen la pena. Eso se nota al poco tiempo de conocerlas. Son todas tan iguales… —concluyó.

Hans escuchó un movimiento y algo que caía al suelo. Parecía un objeto de metal. Sintió miedo porque pensó que podía ser un arma afilada. También pensó que tal vez había otra persona allí.

—Es el viento otra vez. Aquí todo es muy tranquilo, pero en estos días hay un vendaval extraño.

Ahora Hans escuchó el batir de una ventana.

—A Miranda Valetta, en Boise, la asesiné muy rápido. Si lo hubiese pensado mejor, la habría sometido a una situación diferente, pero, como te he dicho, fue un impulso que no pude controlar. Después, a la mañana siguiente, me dije que no podía perder todo lo que había logrado a lo largo de los años, esa imagen de persona de bien y que se guía por la excelencia.

»Puede que no lo creas —continuó—, pero tú y yo nos parecemos mucho. Somos inteligentes y tenemos imaginación. Valoro la tuya porque gracias a ella decenas de delincuentes están encerrados, y eso es admirable. Te he leído y he seguido las pocas entrevistas que has brindado a los medios.

Cuando dijo eso, Hans notó que su voz cambió. Pensó que algo que él dijo en una entrevista lo había afectado.

—Y me digo que tu capacidad de abstracción y tu brillante ingenio no van a abandonarte en esta condición en la que te encuentras. Tienes que verlo como una oportunidad;

un velo negro frente a tus ojos y la inmovilidad total que te permite lograr un estado de reflexión para entender lo que estoy haciendo por ti. Algunas personas necesitan que las salven, y tú eres una de ellas. También salvé a alguien especial para mí, pero ya habrá tiempo de contarte muchas cosas. Nos sobran las horas, porque aquí nadie va a encontrarte.

Hans se dio cuenta de que quien le hablaba se había alejado. Sus últimas palabras sonaron más débiles. Después escuchó sus pasos, pero entonces le pareció que se detuvo de pronto.

—No me odies por lo de Julia Stein. Sin darte cuenta tú mismo la has salvado.

Hans recordó la imagen de Julia cuando la vio por primera vez en el avión a Wichita. No sabía cómo estaba y, si esa persona no le transmitía alguna información sobre ella, no iba a poder saberlo. Era desesperante depender por completo de quien lo había raptado, de lo que quisiera o no decirle en medio de esa oscuridad contra la cual no podía luchar.

¡No podía abrir los ojos aunque lo intentara! Una angustia creciente lo inundó porque quería moverse y no lograba hacerlo, y ni siquiera conseguía gritar.

—No vas a pasarla mal, porque dicen que tengo buena conversación, y sé que es cierto. He deseado con ansias este momento y no dejaré que te aburras. Lo último que uno debe hacer es defraudar a la gente importante, como lo hizo ella.

Después de decir eso, la persona que lo tenía cautivo salió de la habitación y giró a la izquierda, rozando con sus ropas, y sin quererlo, la superficie de un cuadro que mostraba una casa y un lago. Se trataba de un óleo en el que predominaban los tonos oscuros. La pintura reflejaba cierto brillo que provenía de la luz de dos lámparas de butano dispuestas sobre la mesa del comedor.

Continuó caminando y se dirigió hacia afuera de la casa.

Unos insectos volaron cerca de su nariz y sus ojos. Los apartó con la mano izquierda y suspiró. Luego se dio la vuelta, entró en la casa y dejó la puerta sin seguro. Sabía que nadie iría por allí aunque estuviesen cerca de Morgan City.

Pensó que Hans, por fin, había caído en el oscuro pozo que significaba estar consciente sin poder moverse. Solo así lo escucharía. Así tendría tiempo para conocer lo que quería decirle aunque no pudiera responderle.

—Algo es mejor que nada… —se dijo para sí y sonrió.

2

Hospital Central de Morgan City, 18 de julio, 8:00 a. m.

VERA PAGE RECORDABA AQUEL MOMENTO. Se hallaba en su habitación del hospital en medio de un estado que aún los médicos no podían explicar.

Estaba consciente a ratos y los recuerdos se le mezclaban con los sueños, como si la línea entre la realidad y la fantasía no estuviese clara para ella.

«Habría que reventarles la cabeza a la gente cruel como Sanna Barthes para que no puedan hacer daño a las personas solo por el placer de revelar sus secretos...», esas fueron las palabras que recordaba haberle dicho a Albert Preston en la mañana del 12 de julio, y estaba segura de que el profesor de Biología, Michael Dunne, la había escuchado.

Entonces Vera pensó en Albert, su apacible rostro alargado y su cuidada y mínima barba gris, y sus labios extraordinariamente finos. Siempre con esa apariencia tan perfecta, aunque ella le había notado un ligero temblor en las manos en más de una ocasión. Sabía que era como si Albert se agitara por dentro; como un mar de fondo revuelto bajo una aparente tranquilidad.

También recordó cuando conoció a Albert aquella tarde en el hospital San Alfonso, en Boise. Él la había abordado, sorprendiéndola.

—Disculpe, pero no he podido evitar escuchar lo que ha dicho ahora mismo en esa conversación telefónica. Estas mesas están muy juntas y me resultó imposible no hacerlo. Aunque le parezca algo alocado, tengo la solución a sus problemas. Pertenezco a la junta de padres de una buena escuela —la mejor de Morgan City, en Luisiana— y casualmente buscan en este momento una maestra de Educación Artística. Eso es usted, por lo que escuché. Y, como ha dicho que quiere salir de aquí a donde sea, creo que podemos arreglar una entrevista con el director de la escuela Bayou. No le prometo nada, pero…

Y fue así como ella se trasladó a Morgan City y se hizo amiga de Albert. Siempre confió en él, hasta cuando supo que lo había defraudado por negarse a ser su amante y a prestarle dinero. También supo que Albert se había divorciado de una mujer rica llamada Diane Barthes, madre de una chica de la escuela, de la desagradable Sanna. Después conoció a su padrastro y nuevo esposo de Diane, Timothy Barthes. Su querido Timothy, que había pretendido dejarla desatando otra vez en ella el pavor de saberse abandonada, tal como lo había hecho antes John.

La noticia de la muerte de los Glose la atacó otra vez. La foto de la hermosa casa junto al lago artificial en Featherville y las horribles palabras que la acompañaban:

«Se hallaron los cadáveres de John, Teresa y Lea Glose en la casa vacacional de Featherville… Los cuerpos presentaban un impacto de bala en la cabeza…».

En ese momento, una enfermera tomaba la mano de Vera

para cambiarle la vía endovenosa. Vera ni siquiera lo sintió. La consumía un gran resentimiento hacia John y Timothy. Aunque el mayor odio lo sentía hacia su madre; a sus ojos, la culpable de todo lo malo que ella podía haber hecho, de su infelicidad.

Recordó lo que le había dicho a su madre después del accidente, hacía tres años:

—Ahora estás aquí y vas a recuperarte, cuando mi pobre hermano, al único que quería en la vida, está muerto por tu culpa. La invencible Helga Allen, hermana del flamante Federico Allen, el experto cazador de los mejores ciervos de cola blanca del país y quien siempre hizo tu voluntad. ¡Ojalá te murieras! ¡Ojalá hubiese algo peor que la muerte para ti...!

Esto repetía Vera a su madre una y otra vez en medio de las pesadillas y de los sueños vívidos que habían sido recurrentes en ella por los fármacos que tomaba. Y también lo recordaba ahora, desde ese estado de confusión en el que se encontraba.

La enfermera apagó la luz de la habitación y salió. El sonido de la puerta al cerrarse fue fuerte, pero Vera no lo escuchó. Estaba perdida en el abismo de sus recuerdos y resentimientos.

3

—DICK TAMBIÉN LO SABE —se dijo Vera como saliendo de un sueño profundo apenas diez minutos después de que la enfermera se fuera de la habitación.

Sus episodios de conciencia eran cada vez más confusos, aunque para el mundo ella continuaba en un estado de coma inexplicable y nadie se imaginaba que podía estar despierta.

—Dick lo conoce todo sobre mí… —volvió a decirse.

Ella sabía que desde chica Dick Amery la amaba, y esa certeza era una de las pocas que había en su vida. Era el hermano mayor de un compañero de estudios de la escuela, cuando ella apenas tenía quince años y empezaron sus crisis de identidad. Lo recordaba desde siempre con su aspecto tan jovial y el suave bronceado en su rostro. También los lentes de montura negra que nunca se quitaba. Le causaba gracia su muy particular forma de caminar, con pasos rápidos y un movimiento de los brazos acentuado.

Dick siempre mantuvo la sonrisa perfecta y el ánimo inquebrantable, ese buen humor que ella muchas veces envidiaba. Ahora tenía cincuenta y dos años, pero aparentaba menos. Siempre lo había visto vistiendo *jeans* y camisas de manga larga, aun en verano. Estudió Psicología en Nueva Orleans y luego se formó en parapsicología. Sabía que tenía aspiraciones de escribir un *best seller* y ahora contaba con su propio programa de radio. A ella le parecía que estaba demasiado orientado hacia la fama y había comenzado a desconfiar de él, como si en los últimos tiempos lo creyese capaz de cualquier cosa con tal de lograrla.

—Dick sabe lo de Hermes. Yo misma se lo dije después del accidente de mi hermano, y parecía ser sincero en su deseo de ayudarme. Pero él se dio cuenta de que podría ser yo, de que la letra de las cartas era idéntica a la mía… —se repetía.

Vera había revivido una y otra vez aquella tarde en la cual le contó a Dick sus temores, tal vez porque él había estudiado Psicología y en realidad podría ayudarla a salir de la vida angustiante que llevaba debido al odio que sentía hacia Helga.

¡Tenía tanto que reprocharle a su madre!

Comprendió que ningún afecto podía crecer entre ellas cuando siendo aún muy pequeña la obligó a ir con su primo al rancho de «los venados muertos». Así llamó Vera durante mucho tiempo a aquel lugar de Mount Hope en Kansas.

—¡Dios, Dick! Cómo odio la vida por culpa de mi madre, y ahora creo que soy capaz de hacer cualquier cosa para destruirla, porque ella sigue viva y mi hermano ha muerto… —recordaba haberle dicho a Dick Amery en el hospital de Boise unas horas después del accidente.

En ese momento se dijo que debía dejar de pensar en su madre y de desconfiar de Dick, que era casi la única constante en su vida.

Segundos después la imagen de John Glose volvió a arroparla, aunque su cara se desdibujaba y se transformaba en la de Timothy Barthes. Entonces recordó a Sanna otra vez y esas amenazantes palabras que le había dicho al salir de la ceremonia de graduación.

—¿Cómo pudo saber lo del bar? ¿Qué hacía allí? —se preguntó.

Sintió que iba a enloquecer pensando en eso, pero también que ahora las cosas mejorarían porque iba a salir de dudas, al fin.

Entonces —como un golpe fatal— se le ocurrió una idea.

—¿Y si no puedo salir de este estado? ¿Si me quedo así para siempre? Sería como estar muerta sin estarlo y sin poder descansar…

En ese momento alguien abrió la puerta de la habitación y se acercó a Vera.

En el pasillo se escuchaban pasos y luego voces. Creyó reconocer a una de ellas. Sintió con mayor fuerza que su madre estaba allí para vengarse por lo que le había hecho, y que iba a impedir que la sacaran de ese estado espantoso de conciencia e inmovilidad corporal.

—Si tan solo pudiera volver a Hermes. Solo él me comprende y es amigo del monstruo que vive dentro de mí. Un monstruo capaz de asesinar.

Se sorprendió a sí misma con ese último pensamiento.

4

—Su EVOLUCIÓN ES SATISFACTORIA. No ha habido inflamación en los tejidos —dijo el doctor René Keller a Lipman.

Este último suspiró y recibió como respuesta del médico una sonrisa condescendiente.

En ese momento, una joven enfermera con la cara sonriente salió de la habitación de Julia y caminó con pasos apurados hasta donde ellos estaban, en el pasillo justo frente a la habitación de Vera Page.

—Ha despertado —dijo satisfecha dirigiéndose al doctor Keller.

Lipman también la miró después de saber la noticia y este asintió con la cabeza. Eso significaba que le permitía entrar a verla.

A los pocos segundos, Bill Lipman se hallaba junto a Julia y le tomaba la mano. Deseaba abrazarla, pero se contenía. Lipman era creyente y agradeció a Dios que Julia hubiese despertado.

—July, ya superaste lo peor —le dijo con un tono de voz

diferente al que ella recordaba. Se hallaba cargado de emoción y no era para él común hablar de esa manera.

—Bill, estás aquí... ¿Qué ha pasado...? ¿Dónde está Alexandra Ramsey? —preguntó ella, dándose cuenta de que arrastraba las palabras.

—Ha muerto. Fueron objeto de un ataque cuando iban a entrar en la casa de las víctimas del caso que investigabas —respondió Lipman, deseando que Julia no estuviera amnésica.

Pero Julia recordaba ese hecho. La llegada a aquella casa, que había intentado llamar a Hans, y luego nada más...

—¿Hace cuánto tiempo estoy aquí? —preguntó y, al momento en que lo hacía, percibió un peso sobre su cabeza. Quiso llevarse las manos ahí.

—¡No, Julia! No puedes tocarte las vendas. Han tenido que hacerte una operación para sacar una astilla de hueso que podía comprometer tu salud, pero todo ha salido bien. Ahora mismo hablaba con el doctor.

Julia se sintió una extraña dentro de su propio cuerpo y experimentó unos segundos de pánico al imaginar que alguna de sus funciones cerebrales resultara afectada. Sentía que podía pensar con claridad, pero había un peso sobre su cabeza; no era un dolor insoportable, sin embargo, algo en la base del cráneo le hacía opresión.

—¿Podré moverme? ¿Caminar? ¿Y...?

—Claro, cariño. Te he dicho que todo está bien. Pero debes tomarlo con calma —respondió Lipman y le dio un beso en la frente.

Julia movió un brazo y luego el otro. Después las piernas. Sintió alivio.

—Quiero verme... Busca un espejo, por favor.

Lipman sabía que era imposible encontrar un espejo en ese lugar y Julia no debía caminar hasta el cuarto de baño.

Sacó su celular y activó la cámara. Luego presionó el ícono de autofoto y llevó el aparato frente a la cara de Julia. Aguardó.

Pudo ver en sus ojos el desconcierto. Había desaparecido su hermosa melena y en su lugar podía verse el cuero cabelludo, y más atrás una zona cubierta por vendas.

Julia miró su rostro. Se quedó muy quieta mientras lo hacía. Después cerró los ojos unos segundos y volvió a abrirlos. Pareció recomponerse.

Lipman pensó que era natural que lo hiciera, ya que Julia era una mujer sensata y sabía de la gran suerte que tuvo.

Ella pensaba en ese momento en Alexandra y sentía unas incontenibles ganas de llorar. Sin embargo, hizo gala de un mayor autocontrol y miró a Lipman.

—Todo pasará. Vas a superarlo —dijo él mientras ella le devolvía el teléfono.

—Mi madre y mi hermano, ¿lo saben?

—Sí, pero también saben que estás bien. Tu hermano ha viajado desde Wichita. Lo verás pronto.

Julia asintió.

—¿Qué ha sucedido con el caso? ¿Quién lo ha tomado? —preguntó.

—Hans estuvo aquí ayer. Lo vi cuando llegué. Y también una oficial del FBI que debe ser la encargada del caso. Pero supongo que no tardarán en enterarse de que ya estás de vuelta y hablarán contigo. También supongo que sabrás que no puedes reincorporarte al trabajo tan pronto.

—¿Dónde está Hans ahora?

—No lo sé… —alcanzó a decir Lipman segundos antes de que la puerta de la habitación se abriera.

5

—Soy Marina Toole, la agente encargada del caso del asesinato de la familia Barthes. Me designaron cuando usted sufrió el ataque. Me gustaría hablarle unos minutos.

Esas fueron las primeras palabras que la agente Toole me dijo, parada bajo el umbral de la puerta de la habitación del hospital.

Miré a Bill y supo que era mejor que se marchara. Cuando él lo hizo, Marina se acercó a la cama y se detuvo a poca distancia de mí. La vi desplazarse sin quitarme la mirada de encima. Me pareció una mujer decidida y, en cierto sentido, implacable. Rondaba los cuarenta y cinco años y era extremadamente alta, y también bastante robusta.

—¿Vio algo antes del ataque? Sabe que cualquier cosa que me diga podría ser de utilidad para dar con la identidad de quien le disparó —me dijo en un tono profesional y con voz ronca.

—No. No recuerdo nada. Ramsey hablaba por teléfono. Yo intenté hacer una llamada y luego leí un mensaje de texto. Cuando ella terminó de hablar, se acercó a mí y ambas nos dirigimos a la puerta de la entrada. Caminábamos por el estacionamiento, y entonces la vi caer a ella y luego escuché otro disparo. Supongo que se trató del que era para mí —le respondí.

Marina inspiró profundo, desvió la mirada un segundo hacia la mesita junto a la cama y después volvió a mirarme.

Continuaba parada junto al borde de la cama.

—Presumimos que la persona que las atacó es la misma que asesinó a la familia Barthes, y antes a la familia Glose —me dijo con voz aún más grave.

—¿Por qué piensa eso? —le pregunté intrigada.

Era una posibilidad, pero no la única. Los agentes del FBI somos un blanco para muchos criminales resentidos, e incluso el ataque podría deberse a una venganza personal contra la agente Ramsey, o contra mí misma. No podía olvidar lo que me había pasado con Margaret Bau.

Ella se dio cuenta de mi confusión y me extendió su teléfono móvil. Había ubicado en él un correo electrónico. Pero entonces mi visión se hizo borrosa.

Sentí una punzada de terror y comencé a toser de repente. ¡Temía quedarme ciega! No tenía idea de lo que podría pasarme producto de la lesión en la cabeza.

El acceso de tos desapareció y Marina comprendió que tal vez no podría leer en ese momento.

—Perdone. Aún está en recuperación y no he debido forzarla —se explicó.

Me pareció que su apariencia tan imponente nublaba otros aspectos de su personalidad, como que por ejemplo era una mujer delicada. Pero recuerdo que en ese momento estaba aturdida y las consideraciones sobre Marina quedaban en segundo plano. También el hecho de que ella ahora llevara una investigación que antes me pertenecía. Solo me interesaba comprender por qué decía que el francotirador era el mismo asesino serial.

Marina afinó la voz y leyó mirando la pantalla del móvil que tenía entre las manos:

«Para Hans Freeman del FBI: Ya es hora de que caigas tú también. Algo es mejor que nada. Lamento haber ensuciado la cesta del gato. Los Glose solo tenían a Max. Espero que Julia Stein se recupere pronto. Hermes».

Hizo silencio y me miró a los ojos de una manera diferente a como lo había hecho antes, como pretendiendo escrutar mis pensamientos.

De inmediato recordé la cesta del gato y a Alexandra Ramsey hablándome de Max, el *golden* de los Glose, pero lo que más me alarmó fue otra cosa.

—¿Cómo el francotirador sabría que yo no iba a morir? ¿Podría disparar tan bien como para apuntar a la cabeza y saber que la bala solo la rozaría? —me pregunté mentalmente.

Había algo aún peor y tenía que ver con Hans. Ese asesino iba por él.

—¿Dónde está Hans Freeman? —le pregunté con voz apagada.

—No lo sé. Tuvo que ir a Washington por algo relacionado con la salud de su madre y desde ayer no nos comunicamos —respondió Marina.

—¿Informó a Hans de ese mensaje? —quise saber.

—Claro que lo hice —me respondió.

—¿Él qué dijo? ¿Tuvo alguna idea de quién es esa persona que se llama a sí misma Hermes?

—Me dijo no saber de quién se trataba —respondió, pero me pareció que ahora estaba dudando de esa respuesta de Hans.

—No es normal que no sepa nada de él. No conoce a

Hans. No se perdería por tantas horas ni siquiera por algo relacionado con la salud de su madre. Ya hubiese dado una señal. No sabe cómo es capaz de obsesionarse con los casos y mucho más con uno en el que el asesino lo nombra directamente. Creo que algo malo le ha pasado —terminé de decir.

Comencé a sentir un dolor en el cuello y en la base del cráneo. Como si la sutura estuviera a punto de romperse.

6

—No CREO que debamos ser tan drásticos, pero es verdad que no lo conozco como usted. Haré algunas llamadas y luego volveré aquí. Me gustaría contar con su apoyo en la investigación, en la medida en que su recuperación lo permita —me dijo.

«¿Por qué querría contar con mi apoyo?», me pregunté mentalmente en el mismo momento en que asentía con la cabeza.

Comprendí de inmediato que era porque ella también intuía que Hans era una clave importante en la investigación y que —como acababa de decir— yo era la única persona que tenía cerca que lo conocía bien. Y más ahora que le implanté la idea de que a Hans le había pasado algo. Marina Toole también consideró en ese momento que era extraño no saber nada de Hans.

Una sensación de desconsuelo se quedó conmigo desde ese instante. Me resistía a pensar que Hans estuviese muerto, pero era una horrible y cierta posibilidad.

Vi salir a Marina de la habitación. A los pocos segundos

entró Bill y le pedí que me ayudara a levantar el cabezal de la cama para lograr al menos sesenta grados de inclinación y así poder trabajar. Él lo hizo, pero, cuando estuve en la posición que deseaba, me mareé.

Bill me dijo algo sobre no apurarme, pero la verdad es que no le estaba prestando atención.

—«Ya es hora de que caigas tú también», escribió el que presumimos es el asesino de los Barthes y de los Glose, dirigiéndose a Hans. ¿Por qué? —pregunté en voz alta, hice una pausa y luego continué—. No sabemos dónde está Hans. ¡Creo que no está bien! —le expliqué a Bill.

Le pedí que lo llamara en ese momento desde su celular. Cuando tuvo el aparato entre las manos, le dicté el número y esperé. Me dijo que saltó la contestadora. Intenté consolarme diciéndome que tal vez no había respondido porque no conocía el número, pero no me lo creía. Al contrario, cada vez estaba más convencida de que le había pasado algo malo.

—Yo lo vi, como ya te dije. Después también volví a encontrarlo saliendo de la cafetería un par de horas más tarde. Recuerdo que se le cayó un papel del bolsillo y yo lo recogí y se lo entregué. Iba apurado. Más temprano me pareció muy afectado. Creo que significas mucho para él —me dijo Bill.

—¿No recuerdas lo que decía en ese papel? —lo interrumpí porque tuve la idea de que podía ser algo importante.

—Ahora mismo no, pero puede que después sí lo haga. Mi inconsciente, estoy seguro, lo tiene grabado. En momentos de tensión como este el cerebro está más alerta y todo lo registra. De pronto una información puede emerger con algún estímulo del ambiente…

—Lo sé —interrumpí, resignada.

Escuché la puerta abrirse, esta vez con mayor fuerza. Vi a Marina con una expresión de alarma.

—El día de ayer Hans Freeman viajó de Wichita a

Morgan City y creemos que en el aeropuerto, al aterrizar aquí en Luisiana, tomó un taxi. Ahora lo estamos comprobando. Antes había viajado a Washington y visitado a su madre. Es todo lo que tenemos.

Lo sabía. Hans no le dijo toda la verdad a Marina. Fingió que no sabía quién era Hermes, pero debió tener alguna idea, y quien fuera tenía que ver con su pasado. Por eso fue a Wichita.

—Hay que hablar con Anne Ashton, de la comisaría de policía de Wichita. Es posible que ella sepa algo —le dije, y creo que sin querer elevé tanto el tono de voz que Bill se quedó mirándome con los ojos muy abiertos.

—Eso haré —se limitó a responder Marina, quien había adoptado una actitud resolutiva.

Yo sospechaba que Hans no le había dicho toda la verdad a Marina y que ese correo significaba mucho más para él. Tal vez Hans sabía quién era Hermes. ¿Por qué no lo había dicho? ¿Por qué había ido a Washington a ver a su madre? Tengo la seguridad de que ni siquiera estaba enferma.

7

LA SIGUIENTE HORA FUE DESESPERANTE. Tuve que pedir un calmante porque la cabeza iba a explotarme. Quería levantarme y hacer algo para avanzar en el caso, y me decía una y otra vez que Hans estaba bien, pero en el fondo no lo creía así.

Tuve la idea de que leyendo lo que se había publicado del caso, mientras Marina Toole seguía la pista a Hans, podría pasar el tiempo haciendo algo útil. Le pedí a Bill que rescatara mi bolso, mi celular y mi arma. En alguna parte debían estar mis pertenencias desde el día del ataque.

Cuando estuve sola en la habitación, toqué mi cabeza otra vez. Me daba miedo hacerlo, pero no podía evitarlo. Cuando pensaba que solo por milímetros no estaba muerta, o que seguía viva, pero sin poder hablar o moverme, me consumía una tristeza fulminante.

Lloré como una niña en esos momentos, y después de hacerlo me sentí un poco mejor.

Antes de irse, Bill me había prestado su teléfono móvil. Cuando me calmé, lo tomé de la mesita. Pasé los siguientes minutos buscando las noticias sobre «el asesino del lago». Así lo habían apodado los medios de comunicación. Entre una noticia y otra me encontré por primera vez con el nombre de Vera Page.

«Nadie sabe lo que le ha ocurrido a la maestra durmiente… es un coma sin explicación, los médicos buscan respuestas y algunos afirman que se trata de un fenómeno paranormal».

Lo que llamó mi atención fue que era maestra en la escuela Bayou, la misma donde estudiaba Sanna Barthes. Supuse que ya Marina había relacionado esos hechos. Además, estaba también la coincidencia de que el asesinato de los Barthes y el inicio de la condición de la maestra sucedieron el mismo día. Claro que podría ser una casualidad, me dije.

Por la prensa también supe que la maestra se hallaba recluida en ese mismo hospital donde estaba yo.

Después de dejar el celular de Bill a un lado de la cama, me sentí muy cansada. Me quedé dormida sin quererlo y de forma intermitente. Cada vez que despertaba veía la claridad que entraba por la ventana de la habitación y sentía bajo mi mano la pantalla del teléfono móvil de Bill, y entonces volvía a dormirme. Era como si no pudiera evitar hacerlo una y otra vez. Cuando estaba despierta, recuerdo que deseaba que mi recuperación no estuviese plagada de aquella torpeza producto de los fármacos. Lo que menos deseaba era que alguna sustancia alterara el funcionamiento de mi cerebro durante las horas de vigilia, o me mantuviera en esa condición de somnolencia constante.

Sin quererlo, comenzaba a verme a mí misma como una persona vulnerable y cambiada para peor. Era la primera vez que tenía esa desagradable sensación de pérdida de mis capacidades, como si hubiese envejecido decenas de años en apenas unos días.

Volví a dormirme durante más tiempo y, de pronto, la voz de Marina Toole me despertó.

—Encontramos al taxista que llevó a Hans a la calle Levee muy cerca de la fábrica Ships&Morton, junto al río y al norte de la ciudad. La zona posee varios locales industriales abandonados. Este hombre describió una interrupción en la vía y dijo que Hans decidió continuar a pie hasta el número 123 de la calle Levee. En ese lugar no hay nada operativo en este momento y el desvío no era tal, porque por allí no están haciendo obras. Parece que alguien…

—Alguien le puso una trampa a Hans —completé.

—Sí. También hablamos con su madre y no sabe nada. No había estado enferma. Hans apareció en su casa, sin avisar, solo para verla.

—¿Habló de algo en particular?

—No. Solo fue a ver cómo estaba —respondió Marina al tiempo que se sentaba en el único sillón que había en la habitación.

—¿Qué piensa hacer? —le pregunté, aunque en realidad lo que quería decirle era que no dejase de contar conmigo para la investigación. No participar en ella me haría sentir fatal. Estaba pensando en cómo decirle eso cuando ella tomó la iniciativa.

—Esto se está complicando a paso veloz —dijo tocando su chaqueta y alisando el borde inferior del lado izquierdo, para luego continuar hablando—. He decidido mantenerla como apoyo en este caso. Usted no solo conoce a Hans Freeman, quien ahora se constituye en prioridad para el buró, sino que antes del ataque pensaron que usted era la indicada para conducir la investigación y no voy a contradecir esa opinión. Claro, solo en el caso de que se sienta bien para poder colaborar conmigo, y de que entienda que yo tomaré las decisiones. Queda a su elección.

—Estoy bien y deseo hacerlo. Necesito participar —interrumpí, intentando que mi voz no reflejara debilidad.

—Entonces la pondré al tanto de lo avanzado hasta ahora.

—Y me dirá si han considerado que Vera Page está relacionada de alguna manera con el caso…

—¿Cómo lo sabe? —me preguntó, pero luego no esperó mi respuesta—. Lo hemos considerado. La maestra Page también trabajaba en la escuela donde estudiaba la chica Glose, en Boise. Además, conoce a Albert Preston, el exesposo de Diane Barthes. Al parecer son amigos. Lo que iba a hacer hoy luego de visitarla a usted era entrevistarlo a él. Hans Freeman y yo fuimos a la casa de Page y la encontramos en desorden; no hay duda de que estuvieron buscando algo en su piso. También conseguimos el papel del envoltorio de un bombón muy exclusivo. Freeman notó que el mismo envoltorio se hallaba en el lugar del crimen de los Barthes. Y en la habitación de Sanna Barthes encontramos una nota que parecía dirigida a la maestra. Esta nos condujo a un lugar, al bar Oasis, porque establecía que la chica había visto a la maestra en ese sitio la noche antes del asesinato. Hablamos con el dueño del bar y estudiamos las notas de consumo, y descubrimos que Albert Preston pagó unos tragos la noche anterior a los crímenes.

—Además fue visto tocando a la puerta de los Barthes, aquí en la ciudad, el día del asesinato. Eso lo recuerdo —completé.

—Así es.

—¿Nadie sabe qué es lo que le pasa a Vera Page? —pregunté.

—No. Nadie hasta ahora.

—¿Fue después de esos hallazgos que Hans dijo que debía irse?

—Sí, pero no pensé que…

—Que corriera peligro —completé.

Sin quererlo, había comenzado a tocar la sábana bajo mi cuerpo con la mano derecha. Me descubrí rozándola intensamente con la punta de los dedos. Entonces sentí que odiaba esa cama, al hospital y a todo lo que me había pasado porque me hallaba disminuida y postrada mientras Hans corría peligro.

O peor aún, ya podría estar muerto.

8

—¿QUÉ piensas hacer ahora? —le pregunté a Marina, intentando levantarme un poco más para sentarme mejor, pero una nueva punzada me atacó, ahora en las sienes.

—Como ya le he dicho, iré a entrevistar a Albert Preston. Creo que es una de las personas de mayor interés en este momento. Luego hablaré con Dick Amery.

—¿Quién es Dick Amery? — pregunté.

Pensé que era la primera vez que escuchaba ese nombre, aunque luego vino algo a mi memoria que acababa de leer en la prensa. Estuve segura de que uno de los reportajes contaba con la opinión de un tal Amery en relación con lo que le había pasado a Vera Page. Era un artículo en el que se relacionaba la situación de Vera con los fenómenos paranormales.

—Un psicólogo cercano a Vera Page que ha intentado verla y que ha promovido una particular explicación sobre su condición. Explicación esta que ha generado cierto revuelo en la opinión de la gente. Verá, aquí son populares algunas creencias religiosas sobre estados de trance en las personas que podrían considerarse como elegidas por entes espirituales, que las poseen temporalmente para lograr algunos objetivos. Le estoy hablando de creencias populares que explican estados similares al que se encuentra Page. Pero, en el caso de Amery, la explicación es más racional. Es parapsicólogo y, según he leído en la prensa, sugiere que lo que le pasó a Page tiene que ver más con un estado psicológico producto de sus habilidades para percibir fenómenos, que, él afirma, pueden ser estudiados por la ciencia. No sé si me estoy explicando.

Asentí con un breve movimiento de cabeza. En ese momento no me interesaba profundizar en las explicaciones que la gente daba a la situación de la maestra.

—El doctor René Keller nos ha dicho que Amery ha intentado ver a Page. De hecho, fue él quien la trajo en ese estado en el cual se encuentra desde entonces. Por cierto, ella está hospitalizada justo aquí, en la habitación de junto —dijo Marina y luego hizo una pausa, se inclinó un poco hacia adelante y continuó—. Esa maestra está relacionada con los Barthes de una forma más cercana a la que uno cabría de esperar al formar parte de la escuela Bayou, y lo del bombón costoso es un indicio en esa dirección. Hans se inclinaba a pensar que Page pudo haber mantenido una relación estrecha con algún miembro de la familia y que este pudo ser Timothy Barthes. Como sea, vamos a ver qué tienen que decir Preston y Amery al respecto, sobre ellos mismos y sobre Vera Page.

—También puede ser ella la asesina —dije y esperé la reacción de Marina, quien ya se había levantado de la silla.

—Puede. No sabemos con exactitud la hora en la cual cayó en ese estado, pero sí sabemos que fue la misma noche del 12 de julio. Además estaba en Boise cuando ocurrió la muerte de los Glose y trabajaba en la escuela a la que asistía Lea Glose. Pero por ahora no es posible interrogarla, y no sabemos si será posible en el futuro. Podría quedar en ese estado para siempre…

—O todo podría tratarse de un crimen cometido con el concurso de dos personas; Vera y alguien más. Si es la única que conocía a los Glose, ella podría tener un motivo para matarlos a ellos y a los Barthes, y bien podría haber tenido un cómplice. O Preston o Amery. Y pudo ser este implicado, por miedo a que ella hablara, quien la haya dejado en esa condición —me aventuré a decir.

—Ahora que dice lo de «Vera y alguien más», he recordado algo —dijo Marina mientras caminaba hacia la ventana que había junto a la silla y a una mesita donde podía verse una bandeja con una jarra color mostaza. Cuando llegó junto a la ventana se detuvo, me dio la espalda por completo y continuó hablando—. Vera Page ha presentado problemas psiquiátricos desde joven. Su delirio recurrente tenía que ver con que un hombre habitaba dentro de ella y la obligaba a hacer cosas. Se han visto casos...

¿Qué era lo que me quería decir Marina? ¿En realidad creería que Vera era objeto de una especie de posesión de un hombre que la obligaba a asesinar?

En ese momento pensé que antes, cuando me hablaba de las creencias populares, tal vez estuviese hablando de las suyas propias.

9

Dejó la frase inconclusa, se volteó de pronto y me miró, pero sin acercarse. Yo todavía me estaba preguntando el significado de sus palabras.

Tal como yo lo veía, había tres maneras de enfrentar esa idea sobre el delirio de Vera Page. La primera era considerar que no era importante, que eso pertenecía al pasado y nada tenía que ver con el asesinato de los Barthes. La segunda era creer que la maestra realmente estaba convencida de que alguien dentro de ella la obligaba a hacer cosas, y entonces podría ser que una de esas cosas fuese asesinar. La tercera manera era considerar que la maestra estaba tejiendo una coartada, haciendo creer a todos que padecía una patología por si se demostraba que era una asesina. En mi caso, no creía en absoluto que Vera fuese el canal de acción de algún espíritu asesino, y me sentí mal por haber dudado del juicio de Marina hacía pocos instantes.

—Me pregunto si ese hombre dentro de ella tendría nombre… —remató Marina, ahora con una voz reflexiva.

—¿Cómo es Vera Page? —quise saber de pronto.

—Es una mujer rica y hermosa. Proviene de una familia acomodada. Algo no muy común en las maestras de escuela. Me refiero a lo de contar con tanto dinero. Es soltera y enseña Educación Artística. Eso, y lo de los problemas psiquiátricos, es lo que sabemos de ella. No tiene antecedentes de ningún tipo.

Después de decir eso se acercó a la cama. Creí que era su forma de despedirse. Vi su cara con más detalle y noté que sus ojos eran claros, color miel.

—Me aseguraré de que puedas escuchar la conversación con Albert Preston. Usaremos la tecnología adecuada. Me interesa conocer tu opinión sobre él.

Apenas terminó de decir eso salió de la habitación. Su andar era felino, ágil.

Marina me resultaba una mujer intimidante, o tal vez me pasaba eso porque yo no podía moverme como lo hacía ella.

Después, a los pocos segundos, pensé que tal vez supo traducir en mi rostro lo que había pensado sobre ella. Parecía confiar en mí y yo no estaba segura de confiar en ella. Mucho menos si era capaz de pensar en que una posesión podría ser la explicación para un asesinato.

Me sentí diferente y extraña en esa ciudad de creencias particulares. Esa extrañeza también se manifestaba frente a Marina Toole.

10

Morgan City, casa de Albert Preston, 18 de julio, 2:00 p. m.

—Fui a casa de Diane para exigirle que dejara de interferir en mi vida. Estaba evitando que lograra trabajar. A mi empresa de construcción nadie quería contratarla solo porque ella, o su padre, que es igual, lo impedían. Su resentimiento conmigo era monumental…

Esas fueron las primeras palabras de Albert Preston una vez que se sentó frente a Marina en la terraza de su casa.

Desde que lo vio, le pareció un hombre alterado que pretendía esconder su nerviosismo, pero sin lograrlo. Notaba un ligero temblor en la comisura de sus labios y también en sus manos. Le parecía que había bajado de peso, y unas migas de pan sobre el cuello de su suéter gris oscuro revelaban que un hombre como aquel, que parecía cuidar su apariencia, de pronto estaba dejando de hacerlo.

Julia escuchaba la conversación desde la cama del hospital. Se hallaba sola en ese momento y agradeció que fuese así. Desde que había despertado, prefería estar sola. No era que despreciara la compañía de Lipman, pero reconocía que hasta adaptarse a su nueva apariencia era mejor que nadie la mirase. Además, tenía la impresión de que sola pensaba mejor en el caso.

—No voy a mentir. Creo que el mundo es un lugar mejor sin Diane. Al menos para mí, pero eso no significa que yo la matara. Aunque no tengo lo que ustedes llaman una coartada. Estaba aquí solo la noche del asesinato y nadie me vio.

—¿Cuál es su relación con Vera Page? —preguntó Marina.

—Vera es mi amiga y forma parte de la nómina de profesores de la escuela Bayou gracias a mí. Visitaba a una tía en Boise, Idaho, que había tenido un accidente…

Julia se puso alerta al escuchar las palabras de Preston, pero no por lo que decía, sino por cómo lo decía. Notó un ligero énfasis en las palabras «tía» y «accidente». Todos sus sentidos estaban volcados en lo que Albert continuaba diciendo.

—Escuché que Vera mantenía una conversación telefónica en la cafetería del hospital San Alfonso, en la cual le decía a alguien que debía buscar un nuevo trabajo porque ya no podía continuar allí en Boise. Entonces me atreví a hablarle, le di mi tarjeta y le dije que formaba parte de la junta directiva de la escuela privada Bayou, en Morgan City, y que sabía que allí necesitaban una maestra de Educación Artística. Por lo que había escuchado, eso era ella.

—¿Por qué hizo eso? ¿Acostumbra a ofrecer puestos de trabajo a desconocidos? —interrumpió Marina.

Julia movió la cabeza hacia abajo en señal de asentimiento. Si ella hubiese estado presente en aquella entrevista, también hubiese hecho esa pregunta.

Esta vez consideró que Marina había estado bien, pero antes la agente no pudo notar lo que ella sí había percibido: la voz de Preston cambió cuando habló de su visita al hospital San Alfonso.

—Lo hice porque Vera me pareció sumamente atractiva y con mucha clase...

—Era eso —se dijo Julia en la soledad de la habitación. Preston buscaba «mujeres con clase», como su exesposa Diane, hija del magnate Vanderbilt, y como Vera Page, quien también provenía de una familia acomodada. Julia imaginó que lo que Preston intentaba hacer era conquistar a alguien que pudiese mantener su estilo de vida.

—Pero no logré nada con ella más allá de pura amistad, y no me apena decirlo. La verdad es que no puedo comprender lo que le sucedió a Vera. Creo que tal vez fue buscado. Me refiero a ese estado en el que se encuentra. No es un secreto que era amante de Timothy, y ya ustedes de seguro lo saben. Tal vez Timothy terminara la relación con ella porque ni en mil años iba a divorciarse de los millones que significaba estar con Diane...

Julia volvió a asentir.

—Creo que Vera no cuenta con nadie más en su vida y algunas veces me convenzo de que tomó algo para quedar en ese estado, y no entiendo cómo los médicos aún no lo han detectado. Y viendo la publicidad que su caso ha conseguido, también me he preguntado si no estará detrás de esto Dick Amery. Lo escuché en una entrevista diciendo que fue él quien la encontró en su piso, en estado inconsciente. Yo nunca he estado en su piso...

—Está mintiendo —dijo Julia en voz alta y luego volvió a repetírselo mentalmente.

—Además, su madre también se halla en estado vegetativo, en Boise, según creo. Vera no habla mucho sobre ella porque estoy seguro de que no se llevaban bien. Tal vez ya haya muerto...

—¿Conocía usted a la familia Glose?

—Claro que no. Sé que han sido asesinados hace tres años en idénticas circunstancias que mi exesposa y su familia, pero no los conocía. Le he dicho que estaba en Boise en aquel momento porque visitaba a mi tía.

—¿Cuánto tiempo estuvo en Boise?

—Solo viajé para verla. Fui y volví el mismo día.

—¿Cuál es el nombre de su tía?

—Pippa Smith. Quiero decir, Josephine Smith. Ella murió también en aquellos días, después de mi visita. Lo lamenté mucho.

MARINA CONTINUABA la entrevista con Albert Preston aquella tarde del 18 de julio.

—¿Cuándo vio por última vez a Vera Page?

—No lo sé. No lo recuerdo.

—¿No estuvo usted con ella la noche del 11 de julio en el bar Oasis?

—Pues sí. Es cierto. Le he mentido porque Vera no quería que nadie lo supiera. Me pidió que no lo contara, pero Sanna se enteró. Debió vernos. Sé que los chicos van a la galería de tiro que queda en esa calle. Se sienten poderosos disparando a animales indefensos y matándolos. Esa chica siempre fue una malcriada y nosotros nunca congeniamos. Recuerdo que Sanna me dijo una vez, con apenas doce o diez años, que quería aprender a disparar y matar a su primer ciervo. Dijo que estaba segura de que tendría buena puntería. ¡Ni siquiera dijo cazar, sino matar! No sé en qué piensan esos chicos, de verdad…

—Y si eso opina de los jóvenes, ¿por qué forma parte de la junta directiva de la escuela Bayou? No lo comprendo —

expuso Marina en un contrataque que a Julia le pareció magistral.

—Porque hay que vigilarlos, y eso hay que hacerlo desde adentro, desde el lugar donde ellos están. Lo cierto es que hubo un impase entre Sanna y Vera la mañana del 12 de julio, y creo que es mejor que ustedes lo sepan.

—Es decir que usted vio a Vera Page no solo la noche del 11 de julio, sino también la mañana del 12, porque, de lo contrario, no sabría sobre ese problema, ¿verdad? —afirmó Marina.

Julia escuchó la risa irónica de Albert y pudo imaginar su rostro.

—Sí. Es cierto. «Habría que reventarles la cabeza a la gente cruel como Sanna para que no puedan hacer daño a las personas solo por el placer de revelar sus secretos». Eso fue lo que me dijo Vera aquella mañana.

—¿Por qué diría eso?

—Porque la chica le hizo saber que la había visto en el bar la noche anterior.

—¿Y por qué haber sido vista en ese lugar podría ser algo perjudicial para Vera?

—Eso no lo sé —respondió cortante.

En ese momento Julia no supo traducir si mentía o decía la verdad. Si era lo segundo, Albert Preston era un sujeto muy egoísta, porque cuando Vera le dijo eso ni siquiera sintió la necesidad de saber la razón por la cual ella estaba tan resentida y afectada por las palabras de la chica.

—¿Cree a Vera Page capaz de asesinar? —preguntó Marina.

—No —respondió Albert con rapidez.

—¿Sabía que Vera había estado en varias oportunidades en tratamiento psiquiátrico y que poseía un delirio recurrente?

—Lo ignoraba —dijo él, pareciendo sorprendido.

—¿Cuánto calza usted?

—Cuarenta y uno —respondió y movió la cabeza ligeramente hacia la derecha al hacerlo.

—¿Está seguro de que no ha visitado nunca la casa de Vera Page?

—Claro que estoy seguro. Puedo decir que éramos relativamente cercanos, pero no íntimos. Nos veíamos en la escuela y algunas veces quedábamos en algún lugar para conversar y nada más.

—¡Pregúntale de qué conversaban! —exclamó Julia en voz alta. Le parecía que Preston estaba dejando de decir muchas cosas y se preguntaba la razón.

—Cuando se reunían, ¿de qué hablaban? ¿Qué intereses en común tenían? —preguntó Marina.

En ese mismo momento, la puerta de la habitación de Julia se abrió de golpe.

SIN QUERERLO DI un brinco en la cama. Estaba tan concentrada en la entrevista que Marina conducía y en las palabras de Albert Preston que casi olvidaba que me hallaba hospitalizada, y que a cada rato alguien entraba en la habitación para tomarme alguna muestra o darme medicamentos.

Pero lo extraño fue que detrás de la puerta no había nadie.

Fue como si la hubiesen empujado con fuerza desde afuera y luego se hubiesen ocultado. Yo estaba semisentada en la cama y me incliné un poco hacia adelante para intentar ver mejor lo que sucedía afuera, en el pasillo.

Entonces un hombre apareció y me sonrió. Tenía los dientes blanquísimos y la piel tostada por el sol. Usaba lentes de montura cuadrada y de pasta negra. La cara en ese momento me resultó familiar, pero no logré reconocerlo.

—Perdone, me he equivocado de habitación. Iba a visitar a la paciente de al lado.

Escuché voces cerca. De un hombre y de una mujer.

Ni siquiera me dio tiempo de responderle, porque él ya había tomado el picaporte y comenzado a cerrar la puerta.

Volví con Marina y Preston, pero ya habían terminado.

A los pocos minutos llamó Marina al celular que me había dado Bill.

—¿Qué te ha parecido?

—Creo que está dejando de decir muchas cosas. Además, está confirmado que estaba resentido con su exesposa. ¿Qué te ha dicho cuando le preguntaste por sus temas de conversación?

—Que hablaban de las relaciones de Vera con Timothy Barthes. Que él era su confidente en esa materia, y también que Vera no quería terminar el vínculo con él. Y, en cambio, Barthes sí deseaba hacerlo. Me dijo que al final le parecían aburridas las charlas con Vera. Dijo también que la maestra le confesó que en Boise tenía de amante al padre de un alumno, pero que no supo su identidad.

—Piensas que podría haber sido John Glose.

—Tal vez —respondió Marina.

Entonces supe quién era el hombre que había visto y que casi había entrado en mi habitación. Se trataba de Dick Amery. No sé por qué lo reconocí en ese momento. Me acordé de lo que había dicho Bill sobre el subconsciente y su registro de datos. De inmediato recordé su foto en un artículo de prensa y supe que era el mismo sujeto sonriente que me había interrumpido, aunque ahora estaba más delgado.

Esa idea me condujo a otra. Se suponía que mi habitación debía estar custodiada por la policía, así que me pregunté cómo había hecho Amery para asomarse. Eso me había dicho Bill. ¿Dónde estaba el agente de guardia? ¿Habría esperado Dick Amery que este se ausentara por alguna razón? ¿Sería él quien me había disparado, el asesino de los Barthes y los Glose y quien había secuestrado a Hans?

Una sensación de inseguridad se apoderó de mí, y esta vez mi capacidad de respuesta se veía comprometida. Me sentía débil. Una bola de fuego apareció en la boca de mi estómago, y una intensa acidez me atacó justo allí y luego ascendió hasta el esófago. Imaginé que la puerta volvía a abrirse y que solo veía la punta del cañón de un Browning Bar MK3.

Estaba muerta de miedo y ni siquiera me sentía capaz de dar unos pasos sin caer.

13

—Lo MEJOR ES que lo vigilemos —escuché decir a Marina.

Su voz me sacó de ese microsegundo de pánico que atravesé.

—Estoy de acuerdo —afirmé.

—Además, el tamaño de la planta de sus pies coincide con el de las huellas que encontramos en la casa de Vera, junto a la ventana rota, y se apresuró demasiado en decir que no conocía su apartamento.

Yo también me había dado cuenta de ese detalle.

En ese momento me llevé la mano izquierda a la cabeza y me sorprendí: todavía no me acostumbraba a la calvicie. Recordé mi pelo con nostalgia, pero intenté recomponerme.

—Marina, me han dicho que estoy bajo vigilancia policial aquí en el hospital, pero ahora mismo ha intentado entrar en la habitación un hombre que estoy segura era Dick Amery. Dijo que se confundió de cuarto. No llegó a entrar, pero no fue abordado por ningún agente… —le comenté.

—Es extraño. Déjame hacer una llamada y vuelvo contigo —me respondió.

Esperé no más de cinco minutos, pero se me hicieron eternos. No escuchaba ningún ruido proveniente del pasillo. Lo único que oía era el canto de algunos pájaros. Supuse que había un parque cerca que podría observar a través de la ventana de la habitación.

La sensación de peligro no me abandonaba y comencé a relacionarla con la angustia de no saber de Hans. Me reclamé mis temores y me dije que allí donde estaba no podía pasarme nada.

Atendí la llamada de Marina.

—Julia, el agente está justo detrás de la puerta. Hubo cierto revuelo en el hospital porque un hombre atacó a otro allí en medio del corredor, y el agente tuvo que intervenir. Pero solo fueron segundos. Amery debió aprovechar esa situación para intentar ver a Vera, cuya habitación se encuentra en el mismo piso que la tuya. Debe ser cierto que se equivocó de número de cuarto. Recuerda que las visitas de Vera también las tenemos vigiladas. Digamos que el mismo agente vigila las dos entradas. A menos que…

—Que realmente quisiera verme a mí y no a Vera, para terminar lo que inició en el estacionamiento de casa de los Barthes —completé sin pensar. Sin embargo, Marina no me oyó o no quiso hacer ningún comentario.

—Ahora voy rumbo a la escuela Bayou para saber un poco más sobre Vera. Mañana en la mañana hablaré con Amery. Haremos lo mismo que hoy para que puedas escucharlo.

—Está bien. ¿No se sabe nada de Hans?

—No. Aún nada. Lo siento.

Sus palabras cayeron como rocas sobre mí. Sabía que ese «lo siento» muchas veces lo que quería decir era «lo más seguro es que esté muerto», pero, yo no podía aceptarlo.

—¿Han hablado con Anne Ashton? Lo digo porque tal vez ella sepa algo, algún detalle…

—Sí. He leído la actualización del equipo que investiga los últimos pasos de Freeman. El agente fue con Anne Ashton a un rancho abandonado en Mount Hope, a casi dos horas de camino de Wichita. Un rancho que era propiedad de alguien llamado Douglas Vincent. Ashton dice que Hans no le explicó por qué aquel era un lugar importante. Lo único que supo fue que precisaba ir allí por una investigación en la cual estaba participando, y ella le ofreció apoyo. No necesitaron permiso de registro porque cualquiera podía entrar en aquella propiedad. Incluso ha sido objeto de ocupación temporal de algunas personas sin hogar.

Sabía que Anne mentía. Apenas terminara de hablar con Marina la llamaría. A mí tendría que decirme la verdad. ¡Apreciaba a Hans y debía ayudarme!

14

—Soy Julia Stein, agente del FBI. Nos conocimos en Wichita.

—Sé quién eres —me respondió Anne.

Ella debía recordarme. Tuve que ver en el caso del asesino serial que atemorizó Wichita. Aún recuerdo sus palabras cuando se acercó a mí y me pidió que me tranquilizara, asegurándome que ya todo había pasado. Debió también enterarse de que había dejado la ciudad y entrado en la academia para convertirme en agente. El mismo Hans pudo habérselo dicho, y una noticia como esa no pasaría desapercibida. No en un lugar como Wichita.

—Anne, necesito que me hables de lo que fue a hacer Hans allá. Ya te han dicho que no podemos localizarlo. Sabemos que estuvo en Wichita contigo después de ver a su madre en Washington. Le has dicho a los agentes que fueron a un rancho y que no conoces la razón de ir allí, pero creo que sabes algo más. Él confía mucho en ti y debió contarte…

—Cree que se trata de su hermano —me interrumpió.

—¿Su hermano? ¿De qué estás hablando? —pregunté alarmada.

—Hans tiene un medio hermano, mayor que él por diez años. Se llama Benny, o, mejor dicho, Benjamín Culpepper, y es hijo de Chad Culpepper, la primera pareja de la madre de Hans. Se unió a él siendo muy joven y resultó mal. El hombre era un maltratador. Esa relación terminó con el chico en casa de la madre de Hans y el padre distante. Hans no sabe lo que pasó, pero, cuando tenía cinco años, Benny se fue de casa y presume que se reunió con Chad.

—¿Y la madre de Hans no se lo ha aclarado…?

—No. Se alteró y le dijo que no quería hablar. Me temo que allí hay algo grave que Hans desconoce.

—¿Por qué Hans cree que el asesino es su hermano?

—Por la frase del mensaje que envió al FBI.

Entonces lo comprendí.

Desde que me desperté había leído ese mensaje una y otra vez, porque le pedí a Marina que me lo enviara a mi correo electrónico. Hasta cuando Bill me hablaba y yo fingía prestarle atención, estaba pensando en él. Lo que más me alarmó al principio fue ese tono familiar con el cual el asesino se dirigía a Hans, lo que señalaba sobre su hora: «Ya es hora de que caigas tú también…».

Pero estaba segura de que la frase que distorsionaba el estilo del mensaje del asesino era la que seguía: «Algo es mejor que nada».

Antes me había hecho la idea de la personalidad de este homicida, haciendo uso de lo que había aprendido en la academia. Veía a un hombre o una mujer con un sentido del humor lleno de ironía y violencia pasiva. Esto porque había asesinado a seis personas cuando escribió aquello y solo centraba su atención en la cesta del gato y en el *golden* de los Glose. Era como si expusiera con sorna una nueva jerarquía de valores con la que nos dejaba claro que no lamentaba haber causado la muerte de personas, mas sí lamentaba haber ensuciado la cesta del gato. Esa distorsión del sentido común es típica en los asesinos seriales y el mensaje completo estaba impregnado de ese estilo ambivalente; «me había herido y a la vez deseaba mi recuperación», «había matado, pero lamentaba el desastre que había dejado en las casas». Eso era «violento» y «considerado» al mismo tiempo.

Era un sujeto consciente de sus actos y a la vez integrado a la sociedad. Eso era lo que había sacado en claro de mi análisis. Pero lo que desentonaba ante esta caracterización que había adelantado era ese dicho tan tradicional: «Algo es mejor que nada». Parecía que lo hubiese tomado prestado de una persona más conservadora que él, que conociera y le fuera cercana.

—¿Cuál frase? —le pregunté a Anne, presintiendo la respuesta.

—Algo es mejor que nada. Eso lo repetía a diario la madre de Hans. Ya sabes, hay que resignarse a lo que la vida te ofrece, o algo así. El hecho es que Hans estaba convencido de que se trataba de Benny por la presencia de esa frase en el mensaje que hacía alusión directa a la madre de ellos. Por eso vino hasta acá, al no sacar ninguna información de ella sobre el paradero de Benny o de su padre. Yo también he investigado y puedo decirte que se los tragó la tierra. No hay registro alguno ni de sus vidas ni de sus muertes.

—¿Hans tenía alguna idea de por qué el asesino se llamaría a sí mismo Hermes? —le pregunté.

—No. Eso lo desconcertó.

—¿Qué encontraron en el rancho?

—No gran cosa. Ese lugar ha sido guarida de personas que han estado de paso por allí y casi no hay nada en el interior. Sin embargo, encontramos algunos libros, unos muebles viejos y herramientas de trabajo oxidadas. Preguntamos a los vecinos aunque sus casas se ubicaran lejos. Recordaban al cuidador del rancho de Mount Hope y poco más. Hans se quedó con unos libros y me pidió que llevara perros para detectar cadáveres y restos humanos. Quedé en hacerlo, pero para ello tenía que pedir un favor y aún mi amigo no ha podido responder. Hans deseaba que esta investigación quedara, ya sabes, en términos «discretos».

—Lo sé, pero ahora ha desaparecido y debemos apurarnos en averiguar algo. Haz lo que puedas con el rastreo de la unidad canina —le pedí.

¿Por qué Hans pensó en cadáveres? ¿Podría desde los cinco años haber notado que su hermano de quince era un asesino? ¿Era por eso por lo que tenía esa capacidad excepcional de atrapar homicidas? Porque había convivido con uno siendo pequeño...

15

ANNE ME ACLARÓ que estuvieron manejando la hipótesis de un enfrentamiento entre padre e hijo. La idea de Hans era que Benny había seguido a su padre hasta el rancho Mount Hope. Allí pensaba que se había desatado una pelea entre ellos, y Anne me dio a entender que, para Hans, Benny pudo haber matado a su padre. Y que después de esto desapareciera.

—¿Cómo una persona puede desaparecer sin dejar rastro? —pregunté.

—Podría haber tomado la identidad de…

¡Otra persona!

Anne tenía razón. Benny Culpepper podría ser cualquiera. Tal vez Benny fuera un artista del disfraz y eso era lo que temiera Hans.

—Entiendo —la interrumpí y continué—. Eso era lo que pensaba Hans entonces. Que su hermano podría ser cualquiera.

—Sí. Y lo desesperaba no poder reconocerlo. Era imposible, porque la última vez que lo vio él apenas tenía cinco años, y ni siquiera alguien de inteligencia excepcional como Hans podría hacer algo así —dijo Anne convencida.

Al poco tiempo terminé la conversación. Antes le pedí que hiciera lo que pudiera con la investigación del rancho.

Me quedé en silencio mirando la puerta de la habitación. Cualquiera que entrara por allí podría ser Benny...

El problema era qué debía hacer yo ahora. ¿Contárselo a Marina? ¿Decirle que era posible que Hans Freeman tuviese un hermano asesino?

DECIDÍ NO DECIRLE nada a Marina por el momento.

No sabía si eso iba a costarme mi puesto en el FBI, pero si por alguien valía la pena poner todo en riesgo, era por la misma persona gracias a la cual me había hecho investigadora.

Además, me pareció que lo mejor era continuar investigando a la gente cercana a los Barthes y también a la maestra Vera Page. Eran esos aspectos sobre los que teníamos más control: de Benny y el pasado de Hans no sabíamos nada.

Miré la hora en el celular. Eran las cuatro de la tarde. También me fijé en la fecha. Era 18 de julio y la muerte de los Barthes se había producido hacía apenas seis días, aunque para mí pareciesen siglos.

Ya eran más de veinticuatro horas sin saber del paradero de Hans. Inspiré profundo y pensé que lo mejor era no pensar en eso. Si creía que Hans estaba muerto, no iba a funcionar como debía.

Miré mi brazo y la vía endovenosa en él. Habían dejado allí la aguja y las «alas». Creo que así le llaman a esa pieza conectada a la aguja. Tres veces al día me ponían unas dosis de antinflamatorios por esa vía.

Me sentí cansada y lenta. Como una reacción a esa sensación, moví mis piernas un poco hacia arriba, primero la derecha y luego la izquierda. Todo iba bien. Uno de mis temores era perder la movilidad y no poder volver a correr. Para pensar mejor, muchas veces necesitaba correr.

Decidí pararme y mirar el mundo a través de la ventana. Estaba segura de que había un parque cerca y tal vez un lago artificial, o quizás estuviésemos junto al río Bayou. Lo sabía por el sonido de la bandada de pájaros que había escuchado antes.

Me desembaracé de la sábana que me cubría y me senté; luego saqué las piernas de la cama y las dejé colgando. Aún no ponía las plantas de los pies en el piso. Me daba miedo caerme porque llevaba varios días sin caminar. Inspiré profundo y dejé que el aire inundara mis pulmones aunque llevase consigo ese olor a desinfectante que siempre hay en los hospitales.

Me levanté de la cama y esperé. Todo iba bien. Tal vez algún leve mareo, pero lo consideré normal. Di un paso y luego otro, lentamente. Caminé hasta la ventana y, cuando estuve junto a ella, corrí la cortina. Pude ver la copa de los árboles y entre ellos los faroles de cuerpo gris, apagados. Era un día soleado y hermoso. Entonces cayó sobre mí una pregunta cuya respuesta podía ser inquietante:

—¿Por qué Hermes había dejado que viviera?

Y luego me pregunté si en realidad Hermes era el hermano de Hans. Creía que su desaparición podía ser un punto a favor de esa teoría. Quizás Vera Page no tenía que ver con los asesinatos, pero todo indicaba que ella era clave en este asunto.

—¿Y si fuera amiga de Hermes? Podría conocerlo, estar o

haber estado bajo su influencia. Incluso podría ser su cómplice. O peor, podría estar actuando como en un trance, desprovista de voluntad propia a causa de la acción de Hermes... —me dije en voz alta, pero entonces escuché un ruido cerca que provenía de la ventana, en el exterior.

Pegué la frente al cristal y miré hacia abajo. En un saliente del edificio, justo bajo la ventana, había un pájaro que no podía volar. Parecía tener un ala herida. Se trataba de uno pequeño, blanco y negro. Sentí pena por él y unas ganas inexplicables de llorar.

No me estaba comportando como soy. Podía ser que la lesión en mi cabeza hubiese alterado el centro de las emociones y me hubiese convertido en alguien más... ¿débil? ¿Sería eso?

La vía en mi muñeca comenzó a molestar, más bien a punzar. Dejé de mirar al pájaro y solo entonces noté que alguien entraba al cuarto con sigilo, con la intención de sorprenderme.

Cuando volví la cabeza por completo la vi. Ella me sonreía.

—Perdona, ¿es cierto que eres la agente del FBI que llevaba el caso del asesinato de los Barthes? Soy Monica Holt, del Son Shine Magazine On Line. Estoy aquí porque iba a hacer un trabajo con la «maestra durmiente», pero me he enterado de que eres tú...

No podía creerlo. Me sentí invadida.

—¿Cómo has entrado? ¿No has visto a un policía junto a la puerta?

—No lo he visto, pero no voy a molestarte. Son solo dos preguntas sobre el asesinato. Tienes que ayudarme, porque no te costará nada —decía la mujer, pero algo me parecía fuera de lugar. Quizás era su forma de tratarme, como si le debiera un favor y tuviese que hacer lo que pedía.

Ella se iba acercando lentamente hacia donde yo estaba. Era una mujer fuerte, y mucho más grande que yo.

—Quiero que te vayas. No voy a declarar nada y no debes estar aquí —dije al tiempo que experimentaba una sensación de vértigo creciente.

—¿Es cierto que su compañero del FBI ha sido víctima del

asesino? —preguntó ella con voz clara mientras continuaba caminando. Se detuvo de pronto como a metro y medio de mí. Me extrañó que se detuviera, pero de inmediato pensé que fue como si tuviera un sexto sentido para saber que alguien entraría en ese instante en la habitación.

En ese momento miró a un punto muerto; estaba pensando en algo, luego sonrió otra vez y volteó hacia la puerta.

Ambas la vimos abrirse. Apareció Bill junto con mi hermano Patrick.

—¿Quién es usted y qué está haciendo aquí? —preguntó Bill con una aspereza en la voz que me resultó un alivio.

En cuestión de segundos pude registrar varias cosas en mi cerebro. La primera fue la cara de culpabilidad del policía que estaba parado en el pasillo mirando hacia dentro de la habitación, y que podía ver a través del espacio que había dejado la puerta abierta. Aunque más que culpa, veía en él miedo. La segunda, la alegría en el rostro de mi hermano al verme y la mirada tímida que dirigió a mi cabeza sin pelo. Y la tercera, las palabras balbuceantes que pronunciaba entonces la reportera. Fue como si esas tres cosas se mezclaran en mi cabeza como parte de la escena de una película.

Después de eso mis piernas cedieron, caí al suelo y perdí la consciencia.

18

CUANDO DESPERTÉ, unas horas después del incidente con Monica Holt, Marina estaba en la habitación sentada en la silla. Parecía haber estado aguardando con paciencia a que volviera en mí.

—Hola. No has debido levantarte. Te has golpeado en el brazo y la cabeza, pero no ha sido grave. Tu hermano está afuera con tu novio. Ahora mismo, cuando yo salga, los verás.

—¿Qué ha pasado? —pregunté arrastrando las palabras y despegando los labios resecos con dificultad.

—Ya todo está en orden. Han suspendido al oficial que hacía la vigilancia a la habitación. Resulta que conocía a la chica del diario, a la periodista, y la dejó entrar. Es una de las cosas que pasan aquí en Morgan City: todo el mundo se conoce para bien o para mal. El oficial sabía que era inofensiva, pero estuvo mal lo que hizo. ¡No sé en qué estaba pensando! —exclamó Marina molesta. Luego continuó hablando con un tono diferente y libre de reprobación—. Quería decirte lo que hallé en la escuela Bayou. No sé si estás en condiciones…

—Claro que lo estoy —me apresuré en responder.

Mi voz sonó algo agresiva, y eso no era lo que deseaba. Agradecía que Marina estuviera allí y no quería parecerle grosera, pero la necesidad de enterarme del más mínimo detalle del caso me trastornaba.

Marina se acomodó hacia atrás en la silla, como si se hubiese hecho cargo de mi impaciencia y necesitara ponerse cómoda para continuar hablando.

—Conversé con varias personas en la escuela, entre ellas con el profesor Michael Dunne, quien lleva tres años trabajando allí. Me contó sobre una conversación que escuchó y que sostenía Vera con Albert Preston el último día de clases. Es decir, el mismo del asesinato de los Barthes. La maestra dijo algo como «ojalá se murieran, se les reventara la cabeza...», o algo así, según Dunne. Hablaba de los Barthes.

—Y su deseo se hizo realidad —completé en voz más baja.

—Exacto. Le pregunté qué tanto conocía a Vera y si sabía que antes había trabajado en una escuela en Boise. Me dijo que sí. Terminó afirmando que Vera siempre le pareció una mujer extraña y ambivalente.

—¿Por qué dijo eso? —quise saber.

—Dice que tenía un comportamiento muy cambiante; que a veces estaba eufórica y otras deprimida. La mayoría de las veces lucía distraída. Que una vez la encontró en el salón de Educación Artística mirando ensimismada una figura de Hermafrodito. Sí —dijo Marina haciendo una mueca con el labio superior y continuó—. Otra vez la mitología griega nos acompaña. Ahora, en lugar de ser Hermes, es Hermafrodito, su hijo.

—Eso de Hermes en el correo me ha dado vueltas en la cabeza —confesé.

—A mí también. Michael Dunne concluye que lo que le ha pasado a Vera, aunque inexplicable, es un castigo divino por mantener relaciones impropias con el padre de una alumna. Se refiere a Timothy Barthes. Y también por «alimentar la compañía con charlatanes de los que creen en el vudú y esas cosas». Esas fueron sus palabras textuales. ¿Qué opinas? —terminó por preguntarme Marina.

—¿Castigo divino? —repetí arqueando las cejas. Luego continué—. Opino que es un sujeto reprimido. Lo suficiente para interesarse por alguien como Vera y no haberlo dicho. Tengo la impresión de que la maestra debe ser mucho más atractiva de lo que creemos. Digamos que es de las mujeres que muchos voltean a ver en la calle, o algo así...

Mientras decía eso, pensaba que nosotras no podíamos comprender su magnetismo porque solo la habíamos visto en fotografías, y no debía ser lo mismo que conocerla en persona. No podía precisar si fue en *Maldad bajo el sol* o en *Hacia cero* que Agatha Christie ponía el tema de que algunas mujeres de belleza excepcional llamaban la atención de todos y de inmediato, pero que más temprano que tarde aburrían. El hecho es que tal vez Vera Page perteneciera a este tipo de ser adorable que por alguna razón termina aburriendo a quien la desea; o al menos «aburrió» a alguien como Timothy Barthes.

Quería decirle eso a Marina, pero me contuve. En ese momento me di cuenta de lo mucho que extrañaba a Hans y de que, si no lograba encontrarlo, la pérdida para mí sería irremediable. Hans hubiese comprendido mi pensamiento, pero de seguro a Marina le hubiese parecido una tontería.

Me limité a continuar hablando del maestro fisgón.

—No creo que Dunne haya escuchado esa conversación por casualidad. Debía estarla siguiendo, o al menos estar muy pendiente de dónde se encontraba Vera y lo que hacía. Podría hasta haber sentido celos de las personas cercanas a ella. ¿A ti qué te pareció ese hombre? ¿Qué pensaste de él apenas lo viste?

Cuando terminé de hacer esa pregunta, miré la mesita junto a la cama. Vi la jarra color mostaza y un vaso pequeño a su lado. Ella comprendió que tenía sed y se levantó para ofrecerme agua, y fue entonces cuando respondió.

—Lo mismo. Es un hombre retraído y parece resentido con Vera. Como si la odiara. Y pienso, como tú, que para ser alguien que no le interesa sabe mucho sobre ella.

—¿Será que Vera produce ese efecto en las personas? Si ella no fuera la asesina, ¿no es posible que sea el objeto de deseo del asesino? He estado pensando en eso... ¿Y si «Hermes» hace lo que hace por ella?

Marina movió ligeramente la cabeza hacia el lado izquierdo como dudando de lo que yo le decía.

—No lo sé. Dunne también habló de la amistad de Vera con un «falaz sujeto que habla con ligereza de estados alterados y sanaciones, y que para colmo tiene un programa de radio».

Pensé que siempre volvíamos al mismo punto que nos conducía a esa especie de triángulo: Vera Page, Albert Preston y Dick Amery.

¿Alguno de ellos sería Benny?

19

—¿Qué has logrado descubrir de ese sujeto? De Dick Amery —pregunté intentando olvidarme por el momento del problema de la identidad de Benny.

—Ha ofrecido su ayuda al FBI en alguna oportunidad.

Debió haber visto la expresión de asombro en mi rostro.

—Estábamos buscando a un violador en la zona sur, se presentó en la oficina administrativa del buró y pidió hablar con el encargado del caso. Afirmó que por sus habilidades paranormales había obtenido indicios de quién podría ser el hombre. Mi compañero, Jack Kruck, lo atendió. Le he pedido información sobre aquella conversación. Amery afirmaba que una persona culpable no puede desligarse de su culpabilidad aunque lo intente, y que había conocido a un hombre en una cafetería que mientras miraba la noticia de una de las víctimas había demostrado que «era el culpable». Parecía un chiste, o al menos eso pensó Jack. Resultó que el sujeto en cuestión no era el violador que buscábamos, pero sí era un pedófilo. Luego fue denunciado y juzgado. Al violador lo atrapamos y se trataba de un ciudadano «respetable», dueño de un supermercado, del cual nadie sospechaba.

—¿Hace cuánto sucedió eso? —quise saber.

—Cuatro años —respondió ella.

—¿Buscaba fama? ¿Eso crees?

—Exactamente. Pienso que Amery es de los que haría cualquier cosa por adquirir visibilidad pública. Tal vez supiese que ese hombre de la cafetería era un delincuente, porque no olvidemos que es psicólogo —concluyó Marina.

Luego inspiró profundo.

—Me voy. Como te dije, mañana hablaré con Amery. De hecho, voy a dejarte esa computadora. —Señaló una portátil que estaba sobre la mesita junto a la botella—. Esta vez podrás no solo escuchar, sino también ver a Amery a través de la videollamada. Deberías descansar…

Se aplanó el pliegue de la chaqueta azul que llevaba puesta y también pasó su mano por la cabeza, como queriendo arreglar algunos mechones de pelo. Después caminó con pasos rápidos hacia la salida.

—Si al menos yo pudiera moverme así, como ella —me sorprendí diciéndome a mí misma.

De pronto, antes de salir, Marina se detuvo y se volvió:

—Lo había olvidado. He pensado que sería de mucha utilidad no desaprovechar tu capacidad. En la computadora hay un archivo llamado «Equipo» donde encontrarás varios nombres, los números telefónicos y la identificación del departamento de investigación al que pertenecen esas personas. Si se te ocurre algo importante que debamos saber, puedes llamar a quien corresponda para solicitarle información. Todos saben que podrían recibir una llamada tuya o un correo.

Después de decir eso, se fue.

Marina Toole era una mujer resolutiva. Viéndome postrada como estaba, sabía que podía ser útil de otra manera solo usando la cabeza, mientras ella se dedicaba a la acción hasta que yo pudiera moverme.

¿Y si nunca más podía?

20

CUANDO MARINA ME DEJÓ, entraron Bill y Patrick. Lo primero que hice fue preguntarle a mi hermano por mamá. Me dijo que había sufrido una caída y que tenía una férula en la muñeca, pero que estaba bien. Preocupada por mí, aunque ahora más tranquila.

Por supuesto, agradecí a Patrick que estuviese allí, le hice ver que ya todo había pasado y que no era necesario que nadie más se desplazara hasta Luisiana. La idea de que mi madre fuera me espantaba en realidad. Quería estar sola y ya con la presencia de Bill me bastaba. Solo deseaba concentrarme en el asesino, descubrirlo, y encontrar a Hans a salvo.

Cuando Bill y Patrick se fueron, tomé la computadora de Marina y me puse a trabajar. En efecto, en un archivo llamado «Equipo de apoyo del caso Barthes» había una lista de nombres. Me fijé sobre todo en uno: Tokessa Strong. Era el contacto del Departamento de Investigación Financiera.

Se me había ocurrido una idea, que, aunque tímida, había aflorado en algunos momentos acerca de Albert Preston. Sabíamos que Vera Page era una mujer rica, aunque no tanto como Diane Barthes. Ese debió ser el encanto que vio Albert Preston. Esa aproximación inusual que había demostrado al ofrecerle trabajo a Vera me parecía más un intento de interesarla en él, solo porque había deducido que era una mujer que contaba con recursos que él no tenía. Además, la forma como había hablado de su tía Pippa Smith y la entonación particular, que denotaba una emoción contenida, bien podría ser porque esperaba que la mujer le ofreciera dinero y por ello había viajado hasta Boise para verla en su lecho de muerte.

Sabía que era poco y que eran solo ideas, pero tal como había pensado Marina, estando en esa habitación encerrada tenía que investigar de alguna manera; y comprobar mis teorías formaba parte de lo único que podía hacer.

Así que llamé a la agente Strong y le dije lo que quería: que se informara a fondo de las finanzas de Albert Preston y también de las de Josephine Smith. Si esa mujer había muerto —tal como afirmó Preston—, quería saber quién había resultado beneficiado con su muerte. La agente dijo que se encargaría.

Minutos después comenzó a dolerme la cabeza, más bien la herida. Era como si tuviese una especie de camino de fuego en la base del cuello. No quería que ese dolor aumentara y me impidiera pensar o leer. Cerré la portátil y la dejé sobre la mesa. También cerré los ojos, pero entonces se me ocurrió que tal vez la música podría ayudarme. Volví a tomar la computadora y busqué música de Norah Jones. Me gustaba oírla cuando deseaba calma.

Me quedé dormida, creo que escuchando *Cold Cold Heart*. No sé cuánto tiempo pasó. Cuando desperté era de noche y la computadora estaba en la mesita. Pensé que debió haber sido Bill quien la puso allí.

Volví a agarrarla y me puse a rebuscar en línea información sobre Amery. Marina le entrevistaría en la mañana y quería estar preparada para ese momento, conociendo hasta el más mínimo detalle de su vida en función de la posibilidad de que fuera Benny. Si era tan proclive a hacer cosas que le garantizaran visibilidad pública, era entonces muy probable que toda su vida estuviese expuesta en las redes sociales. Yo solo tenía que buscar con mayor profundidad de la que había empleado hasta ahora, y armar «los pedazos de Amery» que encontrara gracias a Instagram, Facebook, programas radiales y de televisión, artículos de prensa, cualquier cosa…

Lo primero que encontré fue una entrevista que había concedido esa misma mañana para hablar sobre el «extraño caso de Vera Page». Con ese título poco original habían presentado la sección del programa de radio en la que Dick Amery afirmaba que los médicos estaban totalmente perdidos en el caso de Vera. Para él, su condición se debía a una alteración llamada acinesia, producto de estar desdoblada en otro plano. Afirmaba que, si la ciencia no podía explicar su situación, tampoco sería capaz de prever cuándo Vera saldría de ese estado, pero que él estaba convencido de que lo haría de un momento a otro.

—¿Cómo podría estar seguro? ¿Habría tenido algo que ver en él? —me pregunté.

En ese momento recibí la llamada de la agente Strong.

—Albert Preston no tiene dinero en sus cuentas, y los egresos siguen un patrón que hemos visto en ludópatas. Y en cuanto a Josephine, o Pippa Smith, era una mujer adinerada porque su esposo le había dejado una considerable cantidad de dinero. En efecto, murió hace tres años y lo dejó todo a su sobrino. Pero no a Albert Preston, sino a otro sobrino hijo de su hermana.

—¿Cómo murió?

—De una insuficiencia cardíaca en el hospital San Alfonso de Boise, en Idaho.

—¿No hubo ninguna duda en relación con su muerte?

—El hospital no refiere nada en particular. En su caso no. Estaba muy enferma.

—Gracias.

—Buenas noches —respondió y cortó.

Me quedé pensando que en un hospital sería muy fácil acabar con la vida de un paciente. Cualquiera podría entrar en una habitación sin ser visto y en pocos segundos hacer que una persona dejara de respirar. Me pareció un pensamiento masoquista en ese momento.

Una corriente de aire entró en la habitación, porque la ventana estaba abierta. Me pareció extraño porque no imaginaba a Bill dejándola así. Por un instante creí ver una sombra en una de las paredes de la habitación, como si alguien se desplazara por el pequeño balcón. Se entraba abriendo dos puertas de vidrio desde mi habitación. Me pareció absurdo que una persona estuviese moviéndose entre las balaustradas de las habitaciones de un hospital. ¿Para qué lo haría? ¿Para escapar sin el alta médica?

Me percaté de que la luz del cuarto de baño titilaba, o tal vez era el reflejo de las luces de los coches de la calle, que llegaban hasta allí. La puerta del baño estaba entreabierta y me pareció que se movió ligeramente de manera casi imperceptible, pero luego se detuvo, como si alguien estuviese escondido detrás de ella.

21

Morgan City, casa de Dick Amery, 19 de julio, 8:00 a. m.

—¿Tenía usted alguna relación con la familia Barthes? — preguntó Marina a Dick Amery.

Eran las siete de la mañana y se encontraban sentados en una pequeña sala de estudio, en la casa de él.

—Ninguna. Ni siquiera los conocía.

—¿Y con Vera Page?

—Sí. Soy su amigo desde hace más de veinte años. Vera siempre ha estado en mi vida. Aunque en algunos periodos ha desaparecido, luego vuelve. Ella estudiaba con mi hermano menor en la preparatoria y así fue como la conocí.

—¿Sabe usted disparar? —preguntó Marina, quien creía que debía sorprender a los sospechosos haciendo preguntas inesperadas.

—No.

—¿Posee armas aquí en casa?

—No.

—¿Qué estaba haciendo la noche del 12 de julio?

—Estuve aquí en casa, solo, hasta las diez. Después salí a casa de Vera y fue cuando la encontré.

—¿Cuándo fue la última vez que vio a Vera Page?

—El mismo día que tuvo el ataque. Me invitó a su piso y me dio el número de la clave de seguridad de la puerta de entrada. Cuando llegué, la encontré tendida en el piso y llamé a urgencias de inmediato. Habíamos quedado para cenar. Vera cocina muy bien, porque es una mujer apasionada. Estoy convencido de que las mujeres y los hombres apasionados son los que cocinan mejor. He hecho investigaciones al respecto.

—¿Era común que Vera lo invitara a comer a casa? —interrumpió Marina.

—La verdad es que no. Creo que era la primera vez que lo hacía.

—¿Eso no le extrañó?

—No. ¿Por qué iba a extrañarme?

—¿Mantenía una relación íntima con Vera Page?

—No. Ni ahora ni antes. Una vez le dije que lo deseaba, hace quince años, pero ella no lo quería y esa fue la única vez que hablamos del tema —respondió Dick acortando las palabras.

Un silencio pesado cayó sobre ellos, pero solo por unos segundos, mientras Marina escrutaba el rostro de Dick. Era un hombre que escondía sus pensamientos con una expresión de satisfacción que a ella le resultaba falsa. Le parecía una sonrisa practicada frente al espejo.

—¿Sabía que Vera mantenía una relación cercana con Timothy Barthes? —preguntó para ver su reacción.

—Sí. Desde hace casi dos años. Esta vez duró más que otras. Vera es una mujer especial que, además de bella, es inteligente y tiene tema de conversación. Eso decía mi madre, exactamente con esas palabras, «tiene tema de conversación». Para ella, que una persona fuera buena conversadora podía ser lo más importante del mundo. Lo que quiero decir es que Vera lo tiene todo, y esa conjunción es difícil de encontrar. No es para nada común.

—Ya. Entonces sí estaba enterado de la relación de Vera Page con Timothy Barthes. ¿Y de su relación con John Glose en Boise? —dijo, tanteándolo, Marina. Sabía que eso no estaba confirmado aún, pero se aventuró porque podía ser que Amery mordiera el anzuelo.

—Sí. También lo supe. Ya veo lo que usted está pensando. Que Vera tiene algo que ver con los asesinatos, pero es imposible. Es una locura. Si usted conociera a Vera se daría cuenta de que sería incapaz de matar a nadie.

Marina pensó que Amery mentía. Unos surcos que aparecieron levemente junto a las comisuras de sus labios y un movimiento casi imperceptible de sus ojos lo hicieron pensar eso.

—Pero la coincidencia de que Vera fuese amante de los dos hombres asesinados junto a sus familias es significativa. ¿No le parece?

—Puede, pero no significa que ella haya hecho algo. Al menos no en su completo juicio. ¿No ha pensado que Vera podría estar inmersa en un estado psicológico alterado que la condujera a cometer una acción que en su sano juicio no sería capaz de hacer?

—¿Podría explicarse? —demandó Marina.

—Podría, pero no creo que tenga usted tiempo para ello. Es algo complejo que he estado estudiando desde hace al menos cinco años.

Al decir esto, Dick Amery se levantó, apoyando los brazos de madera de la silla color lavanda donde estaba sentado, y se dirigió a una estantería repleta de libros que había allí, en el mismo salón donde se hallaban.

Marina lo miró y se hizo una mejor idea de aquel hombre.

Le pareció que adoptaba una actitud de intelectual, de quien todo lo busca en los libros y tiene una respuesta para cada cosa. No le extrañó que Vera no se sintiera atraída por él.

Amery se detuvo frente a la estantería y con la mano derecha se acomodó los lentes de pasta negra, y con la otra tocó varios lomos de libros, pasando el dedo índice sobre ellos, como dibujando un camino, hasta que se detuvo en uno de lomo color turquesa y letras amarillas.

Agarró el libro y dio la vuelta. Ahora la sonrisa era más amplia.

—Aquí está. Lo he escrito yo. *Cuando otro se apodera de tu cuerpo* —dijo campante.

Volvió a la silla y después continuó hablando.

—Puede quedarse con él. Al leerlo comprenderá qué es lo que le ha pasado a Vera. Ya va siendo hora de que la policía y el FBI abran su perspectiva y consideren de valor la experticia en ámbitos para los cuales no tienen preparación. Es todo lo que puedo decir de Vera. Aunque voy a confesarle que sé otras cosas, pero no puedo contarlas porque ella ha confiado en mí como psicólogo y no romperé su derecho a la confidencialidad. Solo diré que está claro que Vera vino a vivir a Morgan City porque aquí obtenía la energía necesaria para su liberación, y porque yo estaba aquí y podría ayudarla. Lo que pasa es que después volvió a cometer los mismos errores que había venido cometiendo.

—¿Cuáles errores?

—Juntarse con hombres que no le convienen. Ella misma teje sobre sí una telaraña y queda presa en ella. Es lo que antes se llamaba enfermedad maníaco-depresiva.

—Ya —se apresuró a decir Marina antes de que Amery se extendiera en otra teoría sobre el comportamiento humano.

Pensó que por el momento no podría sacarle nada más, pero estaba segura de que Amery sabía más de lo que decía.

22

―¿QUÉ opinas de él? ―me preguntó Marina apenas salió de casa de Dick Amery. Sabía que yo estaba viendo y escuchando la entrevista.

Después de la noche que había pasado en la habitación del hospital, ni siquiera yo estaba segura de que mi criterio fuera acertado. Creo que los medicamentos estaban horadando mi lucidez. No fue solo el movimiento que veía en la puerta del baño, y que me pareció percibir en varias oportunidades, era que estaba convencida de que alguien me vigilaba, aunque eso era imposible. En el cuarto no había nadie y el policía que dejaron afuera esta vez sí impediría el ingreso a la habitación. Lo que pasó con el otro, la amonestación severa por dejar entrar a la periodista, había dejado claro que el próximo en hacer la vigilia debía andarse con pies de plomo. Pero yo continuaba sintiéndome en peligro.

―Busca la fama a toda costa. Es bastante vanidoso ―le respondí a Marina.

―Insoportable.

Yo en realidad estaba pensando en que, si Amery era

Benny, tendría mucho sentido que hubiese ofrecido ayuda al FBI. Podría estar obsesionado con Hans y haber seguido su trayectoria profesional en el buró, y por ello haber iniciado ese acercamiento en Morgan City aunque allí no fuese a encontrar a Hans. Podría haberlo visto como una especie de experimento para conocer a algún miembro del FBI y observar su comportamiento.

Dick era psicólogo y no podíamos olvidar eso. De hecho, que una persona se presentara como experto en ambos campos era extraño porque se supone que la Asociación de Psicólogos mira con recelo a los parapsicólogos.

—¿Y si esto último era un ardid, un disfraz de Amery, y lo que realmente teníamos delante era un psicólogo brillante, así como lo era Hans…? —pregunté sin querer en voz alta.

—¿Por qué Amery tendría que parecerse a Hans? —objetó Marina de inmediato.

—Por nada. Perdona, solo estaba pensado en voz alta —le respondí mientras meditaba algo que se me había pasado por alto, que no había preguntado a Anne y que podía ser importante:

¿De qué trataban los libros que Hans se llevó del rancho de Mount Hope?

2 3

El hombre llamado Harry Meyer se encontraba en la sala de su piso en la calle Logan, en Boise.

Corría el año 2016 y había sido una pesada tarde de trabajo. Permaneció mucho tiempo de pie y por eso los músculos de sus piernas habían comenzado a resentirse. Entonces se dejó caer en el sofá, que le gustaba más que su cama, para descansar esas primeras horas en casa.

Las cosas le estaban saliendo bien porque por fin se estaba aclarando el panorama, y podría quitar a ese molesto personaje de en medio. Él sabía que había algo raro, que las cosas que esa persona decía y hacía no eran consistentes con la historia que supuestamente había vivido. Y también estuvo lo de esa mujer llamada Jodie Morton hacía seis años. Desde ese momento comenzó a sospechar. Ese estado comatoso que había surgido de la nada. Ahora él tenía el control y esa misma noche llegaría esa persona que había sido una farsa toda su vida, pero que de allí en adelante estaría bajo su dominio. Recordaba su cara de desconcierto, porque nadie le había puesto una trampa como la que él acababa de ponerle.

Harry sonrió y acomodó la cabeza hacia atrás. Miró la lámpara del techo, la que siempre le pareció que tenía la forma de un edificio moderno, de estructura negra y cristales color anaranjado. Estaba allí cuando compró el piso y decidió dejarla porque le pareció diferente. Ahora podría buscar una igual aunque tuviese que viajar a Venecia —si es que ese era su origen— para cambiar la que pendía del comedor, que le parecía vulgar. Pensó que estaría bien que hiciera eso con su nueva posición laboral; irse de vacaciones a la bella Italia y mirar todas esas esculturas que desde niño había querido ver. ¿Y por qué no París y el Louvre?

Harry, dándose toques breves con sus pálidas manos en las rodillas, se levantó.

Se sentía con ganas de servirse un *whisky* con agua de Seltz. Le pareció una gran ironía brindar con ese trago por lo que estaba a punto de suceder. Sabía que la persona que vendría a su piso había cometido actos criminales, alguien que jamás levantaría sospechas porque su disfraz era muy bueno. Era una mezcla de debilidad y espontaneidad muy apetecible en esos días en los que faltaba frescura.

—Ese es su truco, brindar justo lo que escasea. A veces profundidad, a veces ligereza, pero siempre intimidad. Como si fuese el ser más confiable del planeta… —dijo para sí mientras buscaba un vaso.

En secreto, él también había querido acercarse de forma íntima a esa persona, porque le parecía atrayente, pero no había obtenido de su parte ninguna muestra de interés.

—Ahora no podrá mantener esa actitud despectiva que no dejó de reflejar en su cara en todos estos años de trabajo —se dijo entre dientes.

Estaba disfrutando su victoria. Había investigado lo suficiente para obtener las pruebas de la falsa identidad de su contrincante.

Se sirvió un vaso de *whisky* con dos trozos de hielo y al final prefirió no ponerle agua de Seltz. La ocasión lo ameritaba. Y no tenía que ver con el dinero porque, después de todo, él contaba con buenos medios económicos. Tenía que ver con el resentimiento que había crecido dentro de él y que ahora daba paso a la más pura de las venganzas.

Una hora después, una persona llamó al piso de Harry y él abrió la puerta satisfecho.

Dicha persona estuvo observando la zona desde casi el mismo momento en que Harry había llegado a su casa. Así, se había dado cuenta de que la parte posterior del edificio daba a un pequeño parque que estaban acondicionando. Pudo ver montones de tierra y plantas dispuestas en la zona más cercana a la edificación. Eso le dio una idea. Se dijo que había dejado cobrar vuelo a Harry desde hacía mucho y que debió ponerle solución antes a sus impertinencias, pero que tampoco era el tiempo de recriminarse. Menos ahora que la fortuna le sonreía.

Puso su mejor cara, y la sonrisa que por costumbre manejaba con destreza, y tocó a la puerta de Harry.

—Hola. Llegas puntual. Adelante —dijo este y se apartó para dejarlo entrar.

Ambos caminaron por un breve pasillo que conducía al salón. Una rápida mirada le alcanzó para darse cuenta de que Harry Meyer era un presumido sin gusto. Los objetos no tenían clase, aunque eran costosos, y la conjunción de muchos de ellos en ese espacio resultaba un golpe a la vista.

«Esta casa es como él, hueca y sin sustancia», pensó.

Harry se detuvo a mitad del salón, que contaba con un amplio ventanal. La persona recién llegada se hallaba a su lado, también de pie.

—Supongo que te tomarás conmigo un trago para celebrar que por primera vez alguien sabe un secreto sobre ti. Yo creo que eso también hay que celebrarlo, que la gente pueda sorprenderte…

La persona calculó la distancia hasta el ventanal que, como había previsto, daba hacia el parque en restauración. Le pareció que debía acercarlo más. Desde allí tendría que recorrer mayor trecho, empujándolo, y él podría defenderse. Tenía que agarrarlo por sorpresa, pero más cerca del vacío.

—Sí. Tomaré contigo. Es alto tu apartamento —continuó como haciendo un comentario sin importancia—. Este debe ser de los edificios más altos de esta zona, o mejor, de la ciudad entera —exclamó con un tono burlón que quien no estuviese invadido por una sensación de victoria hubiese notado.

—Costó lo suyo, pero las vistas valen la pena.

—Las alturas siempre han significado para el hombre superioridad frente a la masa. ¿Lo sabías? Para ser justos, antes significaba cercanía con Dios.

—¡Cuánta cultura! Pero ya no tienes que seguir fingiendo —respondió Harry, dándole la espalda y caminando hacia el bar, que se situaba junto a una de las hojas de la puerta ventana.

La persona lo miró caminar como mira un cazador a su presa. Comenzó a sentir un aleteo en el estómago y una de sus manos empezó a temblar. Era la primera vez que mataría a alguien de esa forma. A alguien que no le hubiese hecho daño aún, pero que estaba muy dispuesto a hacerlo.

—¿Sabes por qué te descubrí? —escuchó preguntar a Harry desde detrás del mostrador de las bebidas, pero no le respondió.

Se había quedado mirando un cuadro abstracto que colgaba de la pared central del salón y que era lo único que exhibía algo de belleza en aquel espacio.

—Esa obra la compré hace dos años y no creerás cómo se

llama. «Casino». Tengo la ficha del autor por allí. Se supone que esos colores tan vivos representan el interior de un casino.

Entonces la persona sonrió. Le pareció gracioso el nombre de la pintura. Después de todo, era cuestión de suerte lo que estaba ocurriendo, lo que acababa de pasarle hacía unos días. Volver a encontrarla a ella... Y era eso lo que había hecho que se atreviera a dar pasos menos prudentes y que Harry los notara.

Harry se acercó y le tendió el vaso.

—Me gustaría que lo tomáramos en la terraza. Veo que cuentas con un agradable espacio al aire libre —le dijo con tono seductor.

—Bien —se apresuró a responder el anfitrión.

Cruzaron la sala y salieron a la terraza. Apenas lo hicieron, Harry vio como su acompañante ponía el vaso sobre una mesa de madera que había dispuesto junto a una tumbona.

—Si como bien afirmas vale la pena la vista, no pienso perdérmela —dijo y se acercó a la barandilla.

Harry también puso el vaso sobre la mesa y caminó hasta detenerse a su lado. Ambos miraron hacia abajo. Su víctima estaba distraída y confiada, así que era el momento adecuado.

Él no tuvo tiempo de reaccionar. Lo empujó, sin necesidad de emplear tanta fuerza, sobre el borde de la cornisa, que solo contaba con menos de un metro de altura.

Al final, Harry intentó hacer algo, pero fue demasiado tarde. Sintió que su cuerpo caía al vacío y como su cabeza explotaba.

PARTE V

1

Lugar desconocido, 19 de julio

QUIEN LO MANTENÍA cautivo estaba mirándolo. Hans se hallaba sobre la misma cama en la habitación donde había permanecido desde hacía dos días. Se trataba de un cuarto oscuro y pequeño con dos mesas, una estantería, una silla y la cama donde yacía Hans. Esa habitación no contaba con ventanas y se ubicaba en la parte de la casa que tenía paredes de madera. El área más grande, que podía verse del exterior porque sus paredes eran de cristal, se hallaba junto a este pequeño cuarto. En ella había un sillón, una mesa redonda, una silla, una cocina de dos hornillas, un lavaplatos y pocos utensilios. La puerta que conducía a la habitación donde estaba Hans no tenía pestillo. Se trataba de una puerta corrediza que podía confundirse con la pared del área de mayor tamaño.

—Ahhh..., el abandono es terrible. ¿No te parece? Claro, a ti nadie te ha abandonado aún, así que no sabes de lo que te hablo. Creo que es peor que cualquier otra cosa. A menos que uno se anticipe e impida que las personas queridas nos desamparen. Supongo que no has oído hablar de la sustancia llamada MTFP. Es una droga maravillosa que me ha ofrecido muchas posibilidades.

Hans no podía moverse, pero continuaba consciente y escuchándolo.

—Yo, por ejemplo, impedí que Jodie Morton me abandonara y le hice lo mismo que te he hecho. Y fue mejor para ella. Tenía un novio idiota que, apenas cayó en coma, la dejó. ¿Quién, cuando quiere a alguien, lo deja por esa razón? Y debiste ver a Jodie, era la personificación de la primavera, como un cuadro de Botticelli en vivo, sensible y hermosa. Todos los días acariciaba su pelo rojizo y su cara de porcelana fina. Ella me hizo mucho bien. Me recordaba a una persona en particular que había conocido antes, la primera vez que maté a un ser vivo. No me sentí bien, porque lo vi agonizar allí, bajo mis pies. No sé cómo la gente puede hacer eso por deporte...

»Le hablé sobre mi pasado —continuó diciendo mientras buscaba una silla y se sentaba junto a Hans— y mis proyectos, y sé que era capaz de comprenderme. ¡Yo no podía perderla! —gritó de pronto y después hizo silencio.

Hans supo que estaba padeciendo una crisis. Lo que fuera que había significado Jodie Morton continuaba haciendo mella en su psiquis.

Ahora deseaba que siguiera hablando de ella. No podía renunciar a la curiosidad que lo había conducido a ser un gran investigador criminal ni siquiera en esas circunstancias. Además estaba seguro de que, por ahora, los planes de quien lo había capturado no incluían matarlo.

Repitió mentalmente lo que acababa de decir su interlocutor.

—Le hice lo que te he hecho...

Entonces comprendió que parte de su *modus operandi* era dejar a las víctimas en ese estado de consciencia e inmovilidad, y que lo había hecho antes.

La persona volvió a retomar el monólogo.

—Pero después se me hizo poco. Ni siquiera su compañía fue suficiente a pesar de los años de trato que había entre ella y yo. Una relación en la que yo hablaba y ella solo podía oírme, claro está. Y de eso hace ya muchos años…

Hans sintió pavor, y era la primera vez que se asustaba, y su cuerpo no podía actuar en consecuencia. Se daba cuenta de lo terrible que era lo que esa persona había dicho. Podía dejarlo en ese estado durante años, como acababa de confesar haber hecho con Jodie Morton. La posibilidad era aterradora y por eso intentó calmarse pensando en Fátima y en su hermana Tricia, a quien quería mucho, pero ninguno de esos recuerdos agradables logró aplacar el efecto de la macabra posibilidad de que se mantuviese así para siempre. Sería como una muerte inconclusa. Como había dicho su captor, se trataba de un pozo oscuro y sin escape.

—Entonces apareció él, «Harry el simplón». Siempre se sintió disminuido ante mí. De esas personas acomplejadas que no toleran que otros estén mejor que ellos. Y él, Harry, iba a delatarme. No sé cómo se dio cuenta de que yo no era quien decía ser y menos como me creían los demás. Tú debes saberlo de sobra. Es fácil ocultarse en un disfraz. He leído casos de asesinos seriales, desde que me interesé más en ti, y he encontrado en muchos algo en común. Que se esconden tras un rol laboral que luce inofensivo o tras una característica que engloba una forma de ser, y entonces todo el mundo cree que no son capaces de acabar con la vida de alguien. Por ejemplo, puedes fingir que estás loco o loca, y la gente comienza a verte como un demente, y ni se imaginan que eso solo es un disfraz. ¡La misma gente con sus prejuicios hace invisible lo que eres! ¡Es genial! —exclamó en voz más alta y luego continuó —. Sé que me entiendes. Te encasillan en una forma de ser y ese prejuicio se transforma en tu mejor aliado. Puedes ser un «marido resentido», un «sujeto extraño», una «mujer bonita», y en el fondo todo eso es una maniobra distractora para esconder que eres un asesino. Hasta puedes fingir que duermes y no te enteras de nada, aunque en realidad estás muy despierto. Cualquiera puede ser un asesino bajo las narices del mundo si al mundo le ha dado por pensar que no lo eres.

Hans sabía a lo que se refería, lo había estudiado y comprobado hasta el cansancio, y era cierto. Entonces comenzó a preguntarse cuál sería el disfraz de quien le hablaba. Sabía quién era, pero no tenía claro cómo había querido que lo vieran los demás. Tenía la impresión de que en las palabras que le había dicho estaba la clave de su disfraz.

Una sombra de pesimismo lo consumió. Qué importaba que descubriera algo revelador si no podría nunca más hablar con nadie para contarlo.

2

Hospital Central de Morgan City, 19 de julio, 8:00 p. m.

Vera Page despertó, pero aún estaba inmóvil. La persona a la que encargó administrarle la dosis de L-dopa para que pudiese despertar aún no había aparecido.

Revivió la conversación que sostuvo con ella la noche del 11 de julio. Se acordaba de todo con lujo de detalles:

—Debe administrarme una dosis de esta sustancia que le estoy entregando. Estaré en el Hospital Central y después le pagaré muy bien.

—Pues tendrá que hacerlo, porque no pienso tener problemas con la ley —respondió el sujeto dándose aires de importancia.

—No los tendrá, nadie va a enterarse.

—¿Por qué quiere hacer eso? Es extraño.

Estaba cansada de que la gente dijera que ella era extraña. Harta de que no la dejaran en paz y pretendieran cuestionarla. Esos arrebatos de rebeldía le afloraban en algunas ocasiones, aunque ya distaba mucho de ser una adolescente.

Le respondió a su interlocutor ocultando su molestia, y haciendo lo que muchas veces hacía: mentir.

—Solo quiero vivir la experiencia de un estado vegetativo extremo. Usted no lo entendería, estoy segura, pero eso no importa. Solo vaya al hospital, busque mi habitación y cuando nadie lo vea, inyécteme esto en la vena. ¿Sabrá hacerlo?

—Sí. Mi tía era enfermera y viví un tiempo a su lado. Se empeñó en que aprendiera a hacer algunas cosas, e inyectar fue una de ellas.

Vera en ese momento le entregó la ampolla con la sustancia, una aguja y una jeringa. Allí iban las esperanzas de descubrir qué era lo que pasaba con ella, y si en realidad había asesinado a John Glose.

—Mi querido John, al que también terminé odiando porque intentó dejarme —se dijo con tristeza.

Recordó sus besos y las largas tardes en el viejo motel a las afueras de Boise. Él no quería arriesgarse a que lo vieran entrar en la casa de ella, donde hubiese sido más agradable estar juntos. Ni siquiera pudo tener recuerdos de John comiendo en su mesa o tumbado en el sofá de su sala.

Vera pensaba que una de las cosas que había precipitado la decisión de John de dejarla fue que Lea se enteró de lo que pasaba entre ambos. Para ella esa chica era como Sanna. Creía que ninguna de las dos quería a su padrastro, y entonces buscaban que nadie pudiera distraer a esos hombres para que sus madres no perdieran el control de la situación. A los ojos de Vera, eran egoístas y muy mezquinas. Pensaba además que las personas como ellas tenían la culpa de su descontrol y, en parte, de la locura que la había vuelto a perseguir.

—Tuve que tomar esta decisión desesperada para comprobar que no estaba loca, y que no había ninguna «voluntad» dentro de mí que se apoderara de mi cuerpo, que

Hermes existe afuera, y que no soy yo misma aunque sepa tanto sobre mi pasado y de mis crisis de juventud —se repetía.

Pensaba que el consuelo era que al menos Timothy estaba vivo gracias a su invento de permanecer inmóvil en el momento en que Hermes decía que lo mataría, tal como mató a John.

En ese instante escuchó que la puerta de la habitación se abría y dos enfermeras entraban para asearla.

Venían hablando muy animadas y Vera lo percibió. Antes de comprender sus palabras había notado que la entonación de las voces demostraba el placer que se siente cuando hay un tema morboso del cual asirse. Al menos, eso pensaba ella.

—Ha sido horrible lo del asesinato de la familia Barthes. ¿Lo has visto? Los mataron el 12 de julio en la noche. Dicen que murieron igual que otra familia adinerada en Featherville, Idaho, hace años…

—Matar así a una chica tan joven es un espanto —completó la otra voz morbosa.

Vera escuchó. Su frecuencia cardíaca se disparó de inmediato y pensó que su cuerpo no resistiría.

El asesinato de los Barthes, del cual Hermes le había hablado, iba a cometerse el 13 de julio, no el 12…

—¡Esa noche del 12 yo sí pude haberlo hecho! —se dijo al tiempo en que deseó estar muerta.

Ahora mismo escuchaba su voz, la del asesino. Sabía que era real y estaba segura de que había logrado entrar en la habitación y en su propio cuerpo, y además matado a Timothy, a John, a todos sus amantes y sus familias.

Ella era una asesina y ahora no tenía dudas. Pensó que en el fondo era absurdo cuestionárselo, porque también le había hecho algo horrible a su madre y de eso siempre estuvo segura.

Antes le había parecido reconocer una voz apacible,

amable y casi sanadora que provenía del pasillo, pero ya ella no tenía cura. Había asesinado a Timothy y a su familia antes de tomar la dosis de MTFP porque el asesino dentro de ella era más inteligente.

Hermes le había ganado la última batalla.

3

Hospital Central de Morgan City, 21 de julio, 3:00 a. m.

Era de madrugada, no podía dormir. Al día siguiente me iría a casa. No había razón para permanecer en el hospital. Ahora solo quedaba esperar y que el tiempo fuera mi aliado para volver a adquirir la movilidad de antes. Los médicos eran optimistas. Yo también debía serlo, pero la desaparición de Hans no me dejaba. Sabía que podía estar muerto, y quizás eso era lo más seguro. Ya habían transcurrido demasiados días sin rastros de él. Al menos tampoco había aparecido su cadáver. De solo imaginar el cuerpo sin vida de Hans volvían las punzadas en la cabeza y el ardor en el estómago, como si mi cuerpo estuviese alertándome que era mejor que me deshiciera de esos pensamientos negativos por mi propio bien.

Extendí la mano y tomé una vez más el expediente de los Barthes. Lo releí, intentando buscar algún detalle que hubiese pasado por alto. Luego agarré el de los Glose, pero no encontré nada.

Volví a dejar las carpetas sobre la mesita y estiré el brazo un poco más para alcanzar la computadora portátil. Regresé a las noticias y a las páginas que había encontrado sobre Dick Amery y a las fotos que vi de Albert Preston. Este último era menos proclive a mostrar su vida en internet. Era más reservado, pero eso podía verse como que escondía un secreto. Según había comprobado la agente Tokessa Strong, Preston iba mal de dinero y eso le otorgaba el móvil de la venganza. Si permaneciera casado con Diane, no estaría en esa situación. Podría odiarla hasta querer verla muerta y haber imitado el crimen de los Glose para que creyéramos que se trataba del mismo asesino. No sería la primera vez que un homicida se amparaba en la acción previa de otro para disfrazar su crimen. Y más en este caso, que había una persona que estaba en las ciudades de los hechos en los momentos en que sucedieron y que además conocía a ambas familias: Vera Page. Ella podía ser la sospechosa perfecta. Preston decía ser amigo de Vera, pero podría no serlo. Hasta que Vera no lo confirmara, solo teníamos su palabra.

Sentía que daba vueltas otra vez en el mismo círculo desde hacía por lo menos veinticuatro horas. Siempre caía en una calle sin salida, o tal vez fuera mejor decir que todos los caminos conducían a Vera, pero ella no podía ser Benny.

La verdad es que era una extraña coincidencia que estuviese en ese momento allí, a pocos metros de mí. Si no se hallara en coma, me hubiese levantado e ido a interrogarla. Ya ni siquiera me toparía con el policía porque le había pedido a Marina que retirara la guardia. No tenía sentido, ya que me iría al día siguiente. Con la vigilancia apostada en la entrada del hospital era suficiente.

—Si no se hallara en coma, sabríamos mucho más… —lamenté.

En ese momento, fue la primera vez que se me ocurrió pensar que Vera no se hallara en ese estado en realidad.

—¿Eso podría fingirse ante los médicos? —me pregunté.

Unos pasos apurados cortaron de raíz esa interrogante.

Alguien corría en el pasillo.

4

Los pasos cesaron de la misma manera abrupta como iniciaron. Quien fuera que corría se detuvo y no volví a escuchar nada más.

Media hora más tarde, pensé en oír música de relajación o tal vez ruidos de pájaros y cascadas para intentar dormir. Nunca había hecho eso, pero ya era hora de comenzar a hacer cosas diferentes porque yo también era diferente.

Después desistí de la idea y puse la computadora, a un lado de mi cuerpo, en la cama. Podía ser que la volviera a necesitar en pocos minutos.

Miré la ventana y las luces móviles que se reflejaban, provenientes del exterior. Me había gustado admirarlas desde que recuperé la conciencia. Creo que el movimiento me brindaba algo de consuelo. Entonces, de repente, la puerta de la habitación se abrió y una mujer me miró con ojos desorbitados. Estaba despeinada y un largo flequillo de color blanco llegaba al borde de sus ojos. Lo primero que pensé era que se trataba de una paciente psiquiátrica que había sufrido una crisis y burlado la vigilancia. Pero después supe quién era, aunque su apariencia era penosa. Se trataba de Vera Page.

Ella estuvo paralizada en la puerta unos segundos, el tiempo suficiente para que yo pudiera reconocerla a pesar de que las fotos que había visto la mostraban muy diferente. Desde ese primer momento supe que era peligrosa.

Avanzó primero con pasos lentos, pero en la medida en que se acercaba comenzó a adquirir velocidad.

—Soy una asesina. ¿Lo sabes? He matado a Timothy porque iba a dejarme, y a John por la misma razón. Y no solo a ellos, también a las insoportables de sus hijas y a sus convenientes esposas. ¿Ves? —Sonrió, pero no desapareció la mirada de locura de sus ojos—. Siempre me junto con hombres del mismo tipo, no puedo evitarlo. Hay muchas cosas que no puedo impedir.

Tenía que pensar rápido. Debía hacerla hablar, pero a la vez intuía que estaba en peligro. A pesar de que era una mujer menuda y parecía débil, no podía confiarme. Intenté que siguiera hablando, pero que detuviera su avance. Instintivamente busqué con la mano derecha el botón de emergencia y, cuando lo tuve al alcance de mi dedo índice, me quedé inmóvil y decidí hacerle una pregunta.

—¿Qué cosas no puedes evitar?

Vera se detuvo en medio de la habitación cuando la puerta terminaba de cerrarse. Volteó a mirarla por dos segundos y luego volvió su cara hacia mí.

—No soy culpable del todo, porque hay un hombre que vive dentro de mi cabeza y sabe disparar muy bien.

Cuando dijo eso, comprendí que venía a asesinarme.

5

Su andar era errático. Podría caerse, porque me parecía que algo en sus piernas no funcionaba bien, pero también podría llegar hasta la cama.

Avanzaba y su cuerpo padecía espasmos, más bien temblores. Era la imagen que todos tenemos en la cabeza de alguien poseído. La expresión de sus ojos y la mueca que hacía con los labios completaba la imagen aterradora. No sé explicarlo mejor, pero parecía que sus ojos pertenecían a otra persona. O como si fuesen dos sujetos o voluntades diferentes los que utilizaban el mismo rostro.

—¿Cómo se llama ese hombre? —le pregunté para distraerla.

Volvió a detenerse.

—Es la primera persona que me pregunta cómo se llama.

—Mejor no me lo digas, ya lo sé —la interrumpí, y entonces logré lo que quería. Deseaba confundirla.

—¿Lo sabes? —preguntó.

Estaba a menos de tres metros de mí y pude ver en su rostro un vestigio de alivio. Como si le ofreciera con esas palabras que acababa de pronunciar una puerta, la salida que necesitaba.

—Sí. Se llama Hermes —dije sin perder detalle de su expresión.

—¡No es cierto! ¡No me estás diciendo nada! Esto lo estoy imaginando porque es una trampa que me pongo a mí misma para confundirme otra vez. Cuando ya lo tengo todo claro, entonces vuelvo a confundirme. Es mejor aceptarlo. Es mejor —repitió pasando la mano por la cara y la cabeza— aceptarlo… he vivido con la esperanza de que no fuera una asesina después de lo de John, pero ya no es posible. Ya esa esperanza se acabó. Soy yo, convertida en Hermes. Y ahora es él quien ha inventado unas palabras que tú no has dicho. Él sigue jugando conmigo dentro de mi cabeza, pero ya no lo hará más. Voy a dejarle claro a todo el mundo lo que soy y lo haré a través de ti, porque la casualidad quiso que estuvieras aquí justo al lado de mi habitación.

Entonces comenzó a reírse de manera frenética, aumentando el volumen de su voz, hasta que la risa retumbó en las paredes del cuarto.

Ya no podía esperar más. Tenía que oprimir el botón. La había dejado acercarse demasiado, como si estuviera en posición de defenderme.

6

Pulsé el botón y al mismo tiempo grité. En ese momento la puerta de la habitación se abrió.

Una enfermera iba a entrar, pero detuvo el paso cuando vio a Vera dirigiéndose a mi cama. Al cabo de un segundo, con voz que tronó, dijo:

—¿Qué está usted haciendo aquí? —Y caminó rápido hacia ella con la intención de detenerla.

Yo la sentí como mi salvadora.

Vera se detuvo, pero no se volteó al escuchar la voz. Quedó como petrificada y después cerró los ojos. Contuve la respiración y no perdí el miedo hasta que la enfermera, que cada vez me parecía más fuerte, llegó a su lado y la tomó por los hombros desde atrás.

Debió haberse dado cuenta de que algo no estaba bien en la mente de Vera, ya que parecía experimentada en el trato con todo tipo de pacientes. Eso pensé al principio debido a su andar resuelto, pero después caí en la cuenta de que la había reconocido.

—Usted es la paciente del cuarto de al lado. Está confusa

porque de una forma milagrosa ha despertado después de varios días, pero ahora debe volver a su habitación. Venga conmigo… —le dijo con un tono persuasivo y continuó—. Debemos llamar al doctor de inmediato. Tiene que evaluarla.

Vera se tornó dócil, como si la mujer que creí estuvo a punto de hacerme daño se hubiese esfumado y ahora fuese otra.

—No sé qué hago aquí. Me duele la cabeza… —dijo llevando las manos hacia ella.

—No se preocupe. Vamos a la cama —insistió la enfermera y luego se dirigió a mí—. En cuanto pueda, avisaré a mi compañera de guardia para que le administre la medicación, pero ahora debo hacerme cargo de esto. Vuelva a tocar el botón de emergencia, por favor —me pidió.

Comprendí que, aunque se había adueñado de la situación, preveía que Vera podía darle más trabajo y que en algún momento podía resistirse o pretender escapar.

—Ya lo he hecho —respondí.

Ella continuaba sosteniendo a Vera, le pidió que se volteara. Le dijo que la ayudaría a caminar. Vera había movido la cabeza hacia abajo y yo no podía verle la cara. Solo alcanzaba a mirar los mechones de su pelo blanco caerle en la frente, y también delante de sus hombros. Entonces la consideré una mujer muy pequeña, tal vez porque la comparaba con la enfermera, que debía medir casi dos metros de altura.

Me pareció ver dibujarse una sonrisa en el rostro de Vera. Tengo que reconocer que la piel se me erizó porque no había razón para sonreír.

Llegó de pronto otra enfermera más joven, y cuando vio la escena, lanzó una exclamación.

—Vamos, Molly, ayúdame a llevar a la paciente a su cuarto. Se ha despertado y ha venido a dar aquí —dijo la enfermera mayor.

La joven no podía disimular la cara de asombro y, como cayendo en la cuenta de que tenía que moverse, dio unos cuantos pasos rápidos, así llegó hasta donde estaban ellas.

Vera continuaba en silencio, pero ahora había llevado la cara al frente y supe que me odiaba. Su mirada estaba llena de ira.

7

AL DÍA siguiente de esos sucesos, me dieron el alta médica. Era el 22 de julio y Hans llevaba cinco días desaparecido.

Me fui a un apartamento pequeño y cómodo al sur de Morgan City. Bill lo rentó porque le dije que no quería irme de Morgan City. Se suponía que estaba suspendida del trabajo hasta que me recuperara por completo, pero no iba a dejar de investigar hasta dar con Hans, vivo o muerto. Prefería saberlo a esa incertidumbre, y la mejor manera de indagar era quedándome en la misma ciudad donde Hans había desaparecido, porque era el epicentro de las últimas acciones del asesino.

Me pareció un avance abandonar el hospital, pero no me encontraba bien. Me sentía débil y los dolores de cabeza no me abandonaban; solo se mitigaban con los calmantes.

Recuerdo que apenas llegamos al apartamento me senté en un sillón de la sala y miré hacia la ventana. Aquel era el primer momento de mi nueva vida, como si se hubiese producido un corto circuito en mi existencia y tuviese que despedirme de quien era antes del disparo. No era solo por la herida y la falta de pelo en mi cabeza, era sobre todo porque Hans no estaba.

Bill debió notar algo en mi expresión.

—Ha sido muy duro por lo que has pasado. No te exijas más de lo debido —dijo, no sé si con esas palabras, pero esa era la idea que quería transmitir.

Pensé que todo el mundo necesita a su lado a alguien como Bill, tan racional y sensato. No estaba segura de quererlo como debía. Bill para mí era uno de esos deseos que una vez hechos realidad perdían intensidad. Supe que, aunque no quisiera, nuestra relación no iba a continuar como debía. Sin embargo, preferí engañarme y fingir ante mí misma que todo iba bien porque él se estaba esforzando mucho en atenderme. Hasta había interrumpido su consulta mientras me recuperaba.

—No lo haré. Pero sabes que no puedo dejar de pensar en el caso —le respondí y sonreí. Mi sonrisa fue sincera y agradecida. Bill era un encanto, y tal vez las dudas sobre nuestra relación eran infundadas.

—Claro, cariño. Nadie te pide eso. Piensa y dale las vueltas que quieras. Eso te hará sentir mejor —dijo.

Me propuso que fuera a la habitación a descansar un poco. El traslado del hospital a casa podía pasarme factura.

Al poco tiempo me hallaba sobre una cama cubierta con una colcha azul pálido y unas almohadas de plumas. Eran nuevas y estuve segura de que Bill las había comprado. Recosté la cabeza sobre una de ellas y miré hacia el techo. Así me mantuve por unos minutos, puede que quince o veinte.

La verdad es que descansé, pero de pronto otra vez una sensación de angustia me invadió.

Me senté, miré alrededor y allí estaba: un espejo grande. Ahora podría ver con más claridad la apariencia de la nueva Julia Stein.

8

Me levanté. Caminé hasta detenerme frente al espejo ovalado y miré mi imagen. Me acerqué un poco más. Es increíble lo que se puede cambiar cuando nada cubre nuestra cabeza. Somos más parecidos a criaturas de ciencia ficción, esas que nos han mostrado en películas y en cómics. Mi cuello se veía más alargado y los huesos del cráneo se dibujaban con una claridad increíble. Podía ver algunas irregularidades, como hendiduras, en varias partes de mi cabeza. La sombra del pelo que comenzaba a aparecer me dio un poco de esperanza. Pensé en comprar una peluca lo más parecida posible al color de mi pelo. Pero entonces tuve una idea: ¿por qué no aprovechaba la situación para cambiarlo, para verme con el pelo negro, por ejemplo, o tal vez rojizo? Dicen que las crisis son buenas para atrevernos a dar pasos que en momentos de tranquilidad ni siquiera nos planteamos.

Pero no puedo negar que me dolía todo lo que había pasado, y que nunca me sentí tan indefensa. Las lágrimas aparecieron de súbito. Eran irremediables. Aunque estaba haciendo frente a la realidad y me sentía herida, no estaba del todo vencida. Me vi a mí misma como una especie de guerrera que sabía que debía continuar su misión. Ya estaba bien de lamentarme, iba a concentrarme en el caso y también a encontrar a Hans.

Levanté el mentón y luego bajé la cabeza. Fue cuando la vi. Había estado allí todo el tiempo, pero no había reparado en ella. Una gorra negra sobre la cómoda bajo el espejo. Bill lo anticipaba todo.

La agarré y me la puse. Miré mi imagen y le di la bienvenida a la Julia temporal, que dejaría de compadecerse de sí misma y utilizaría todas sus capacidades y energía para atrapar al asesino de los Barthes.

Me di la vuelta y salí de la habitación. Le pregunté a Bill por mi celular. Me dijo que estaba en una mesita en la entrada del apartamento, dentro de una bolsa transparente junto a la ropa que llevaba puesta el día del ataque y mi cartera. Eran mis pertenencias el día del ataque, excepto el arma, que debería buscar en la comisaría.

Me dirigí hasta allí, abrí la bolsa y encendí el teléfono. Había una llamada perdida del teléfono de Hans, de hacía cuatro horas. ¿Por qué no había mirado el celular antes?

9

—Bill, hay que llamar a Marina inmediatamente. Hazlo desde tu celular. Tengo que mantener esta línea disponible, y aunque entre el tono de una llamada mientras lo uso, no... — dije sin concluir y sin saber muy bien si tenía sentido lo que quería expresar.

Solo sabía que había que informar aquello. Mi impulso fue devolver la llamada, pero no sabía cómo debía reaccionarse en una situación así. Hasta ahora no había llevado ningún caso de desaparición de agentes y, aunque tenía la teoría, estaba nerviosa porque se trataba de Hans. Nunca pensé que él hubiese hecho esa llamada a cuenta propia, ni mucho menos que estuviera desaparecido por voluntad. O era el propio raptor quien me había llamado o Hans logró librarse de él. Lo segundo me parecía improbable aunque fuera lo que más deseara.

Bill se dio cuenta de que sucedía algo grave y actuó en consecuencia. Caminó con pasos largos desde el salón y se detuvo a mi lado, en el corredor junto a la mesita, con el celular en la mano. Marcó el número de Marina, que había quedado registrado desde que sostuvo una conversación con ella a través de ese teléfono.

Me extendió la mano con su celular y lo tomé. Comunicaba, pero Marina no atendía.

Decidí no esperar y llamar a Hans. Cada tono de esa llamada sonaba en mi cabeza como una cuenta regresiva. Como si fuesen los últimos segundos antes de una noticia fatal.

Alguien atendió.

—¿Hans? —pregunté, aunque lo hice más como una manera de explorar la identidad de quien estaba al otro lado de la línea. No confiaba en la idea de que se tratara de Hans.

No hubo respuesta. Me pareció escuchar un zumbido de fondo. Un sonido que podía hacer un insecto con el movimiento de sus alas. O tal vez fuera una máquina. No lo podía definir con precisión.

Hice silencio. El ruido se hizo más fuerte, y lo que luego escuché fue como el sonido originado por un columpio que se balancea por la acción del viento. Me vino a la cabeza la imagen de unos pernos oxidados. Era un silbido agudo y acompasado hecho por un objeto de metal sin engrasar. Podría también tratarse de una puerta oxidada.

Agudicé aún más el oído, pero no pude obtener ningún otro registro. El captor de Hans cortó la comunicación.

En ese momento, sonó el teléfono de Bill y al mismo tiempo llegó un mensaje de texto al mío.

«Hola, Julia. Solo quería decirte que Hans está sano y salvo. Pero no puede hablarte. Es muy posible que nunca vuelva a hacerlo».

Eso decía el mensaje.

Todavía con el aparato en mi mano derecha, tomé con la izquierda el de Bill.

—Marina, hay que rastrear la ubicación del celular de Hans. ¿Han intentado hacer la geolocalización?

—Claro. No hemos obtenido…

—Había una llamada perdida del número de Hans, de hace cuatro horas, en mi celular. Ahora la devolví y alguien atendió, pero no dijo nada. Alguien que, estoy segura, no era Hans. Además, me acaba de enviar un mensaje —la interrumpí, y lo leí en voz alta.

—Antes analizamos el reporte de la empresa de comunicaciones. El celular de Hans no había sido encendido desde su desaparición, y el último rastro que se obtuvo de él fue en el lugar donde, presumimos, fue atacado. Ya estoy informando a los técnicos, ahora mismo, desde el sistema de requerimientos urgentes en mi computadora. Vuelve a llamarlo a ver qué sucede —me pidió.

10

No sucedió nada más. El teléfono se mantuvo fuera de cobertura. El raptor de Hans volvió a apagarlo, y no era optimista en cuanto a que volviera a utilizarlo.

Esperaba que lo que había dicho fuese cierto, que Hans estuviese bien. Si se había atrevido a llamar era porque lo tenía todo controlado, y de seguro lo había hecho desde un lugar que no significaba para él ningún riesgo en caso de que localizáramos el teléfono. Era inteligente y no iba a arriesgarse.

Me pareció terrible la idea de que fuese el hermano de Hans el responsable. Yo sabía lo que era convivir de niña con una persona capaz de hacerte daño, y por eso me espantaba más lo que estaba pasando.

Las siguientes dos horas, después de esa llamada, las pasé concentrada en el expediente de los Barthes y de los Glose. Había quedado con Marina que volveríamos a hablar luego de ese lapso de tiempo sobre la condición de Vera Page. Sin duda, la tesis de que ella fuera la asesina era la más clara porque eso había confesado cuando estuvo en mi habitación del hospital.

—Está en estado casi catatónico. Se alimenta e ingiere agua, pero no levanta la mirada a ninguna parte, y no ha querido pronunciar ni una sola palabra más desde que entró a tu cuarto. Los médicos creen que podría tratarse de una consecuencia de su estado anterior, y yo no sé qué pensar —me confesó Marina cuando me llamó.

—¿Cómo explican los médicos esa abrupta recuperación? —pregunté.

—No la explican. Están perdidos. Y al no haber un discurso claro del asunto, esta ciudad se va a llenar de muchas explicaciones, que irán desde que está poseída hasta que ha sido víctima de una brujería. Habrá para todos los gustos. Hay presión para que cierre el caso, dando la versión de que fue Vera la que asesinó a esas familias para zanjar el asunto de una vez. Y en parte tienen razón porque ella confesó. ¿Por qué lo haría si no es una asesina? —consideró Marina.

—Vera Page es un enigma. Tenemos que hacer que hable —le dije.

—Está ahora recluida en el psiquiátrico, bajo supervisión policial, esperando que podamos interrogarla.

—¿Has ido a su casa? —le pregunté.

—Lo hice con Hans…

—Lo sé, pero quiero decir de nuevo, para indagar con los vecinos o la gente de los negocios de la calle. Ahora mismo y sin poder interrogarla, puede que solo tengamos eso.

Escuché una inspiración profunda.

—Tal vez tengas razón. También he pedido al agente Matheson, de Idaho, que entreviste a las personas que tuvieron contacto con Vera en Boise. Quizás eso nos dé algún dato revelador. Pasaré hoy por su casa —manifestó.

—¿Podría acompañarte?

—Sí —me respondió sin más.

La simpleza de esa respuesta me reconfortó. Debía saber que para mí no era una opción quedarme sin hacer nada, y no se esforzó en intentar convencerme de que descansara.

Me sentí comprendida, y eso me hizo valorar de una forma diferente a Marina Toole.

11

Llegamos al edificio donde vive Vera Page. Se trataba de uno pequeño de ladrillos rojos. Antes de subir al auto de la agente Toole me tomé una Biodramina con cafeína. Sabía que iba a marearme.

Me sentí mejor de lo que esperaba durante el trayecto. En cuanto nos bajamos, comencé a registrar con atención todos los detalles de esa calle. Era tranquila, residencial, había una tienda de conveniencia en la esquina, una pastelería en frente, y al lado de esta un pequeño negocio de venta de ropa.

Vi a una mujer de mediana edad paseando un cachorro de pomerania y a un hombre trotar en la dirección contraria.

Casi no transitaban vehículos en esa calle.

Pensé que debía ser costoso tener un apartamento en ese lugar. Recordé que Vera era rica y que por eso Albert Preston le había ofrecido trabajo, para intentar seducirla. Pero a ella no le gustó; parecía buscar a hombres que la envolviesen en relaciones conflictivas y difíciles, hombres casados con mujeres poderosas. Ni Preston ni Amery encajaban en el patrón del tipo de sujeto que ella buscaba.

Marina me sacó de mis pensamientos.

—¿Nos dividimos los apartamentos o los visitamos juntas? ¿Cómo quieres hacerlo? —me preguntó.

—Como prefieras. Estaría bien las dos juntas —completé.

Nos dirigimos al apartamento ubicado en la primera planta, frente a donde me dijo Marina que vivía Vera, y tocamos a la puerta. A los pocos segundos la vimos abrirse, como si alguien nos hubiese estado esperando. Detrás de ella se hallaba un hombre calvo con ojeras muy pronunciadas.

—Somos la agente Marina Toole y la agente Julia Stein del FBI. ¿Podemos hacerle unas preguntas?

—Claro. Adelante —respondió él con voz grave, de una profundidad que me sorprendió porque a primera vista me pareció un hombre débil. Era como si esa voz no se correspondiera con él.

—Soy Herbert Hellman. Podemos sentarnos en el salón si lo desean. ¿Quieren tomar algo? ¿Un café o un té? —preguntó mientras nos indicaba hacia dónde caminar, en medio del corredor.

Escuché un tintineo de metal, como si cerca hubiese algo que moviera el viento, pero no veía el objeto que desprendía ese sonido. Me dio la impresión de que Hellman era un sujeto perceptivo, porque me miró con curiosidad mientras avanzábamos, como si hubiese notado que buscaba algo. Continuó mirándome, inclinando un poco el cuerpo hacia adelante para no perder ningún detalle de mí, hasta que llegamos a un salón en el que apenas había objetos. Vimos una mesa rectangular de diseño industrial en medio, y una silla. Unos metros más allá, un sillón color aceituna que parecía costoso y un cojín anaranjado sobre él. Y nada más. No sabía dónde pensaba Hellman que podríamos sentarnos.

Marina se estaría haciendo la misma pregunta, porque me dirigió una mirada rápida.

—Traeré las sillas. Podemos decir que es una ocasión especial. Nunca recibo visitas.

Hellman caminó hasta detenerse junto a una de las paredes del salón, frente a una puerta blanca que no había visto antes. Era una puerta oculta que parecía ser continuación de la pared. Empujó y sacó de dentro, de lo que supuse un pequeño compartimiento, tres sillas plegables de metal color plomizo. Las llevó a donde estábamos y las desplegó junto a cada una. Luego abrió la que él utilizaría y se sentó.

Era un sujeto extraño. Y más extravagante aún era la ausencia de objetos en aquel apartamento. Aunque no recibiera visitas, lo natural era que al menos tuviese un par de sillas dispuestas. Era como si en realidad no viviese allí. ¿Y si solo había comprado o rentado ese lugar para estar cerca de Vera Page? ¿Y si nos encontrábamos frente a Hermes?

Si a Marina le sorprendió el comportamiento de Herbert Hellman, lo disimuló muy bien.

—Estamos aquí porque queremos saber si usted ha visto en días pasados algo extraño relacionado con su vecina del apartamento de enfrente. Cualquier cosa que le haya parecido fuera de lugar.

Él se tomó su tiempo e hizo un silencio que me pareció largo. Inspiró profundo y luego soltó una carcajada sin ton ni son.

Al cabo de unos segundos, cuando logró recobrar la compostura, secó sus ojos, que debieron estar llenos de lágrimas debido al ataque de risa, y entonces respondió.

—Les ruego me perdonen lo inesperado de mi reacción, y de ninguna manera significa falta de respeto, pero es que soy guionista de cine, he hecho alguna que otra película... Es igual, lo que quiero decir es que esto me ha parecido como una escena de una peli de comedia elegante, del estilo de las clásicas. Es que si usted supiese lo extraño que es que me pregunte si «hay algo extraño», y valga la redundancia, acerca de Vera Page. ¡Ella toda es una criatura insólita!

Volvió a reír, pero esta vez con menor intensidad.

—¿Por qué lo dice? —preguntó Marina. Noté por su entonación que estaba molesta, pero era posible que Hellman no se diera cuenta.

—Por todo. No es una sola cosa. Mire, esa mujer está realmente mal de la cabeza. En una oportunidad, toqué a su puerta y le pedí que no volviera a poner una música espantosa que había estado sonando el día anterior a un volumen que no me dejaba ni pensar ni dormir ni hacer nada. ¿Qué me respondió? Que no sabía de qué le hablaba. Yo insistí y le dije: «Esa música estridente de género psicodélico con unos cantantes pésimos que imitan quién sabe a quién». Y ella me respondió, molesta, que a ella tampoco le gustaba ese tipo de música de la que hablaba y que jamás la escucharía. Por supuesto, me di cuenta de que estaba frente a una persona perturbada, me di la vuelta y vine a casa.

—Ya. ¿Algo más? —quiso saber Marina.

Yo también hice una pregunta casi al mismo tiempo.

—Sin contar esa vez de la música psicodélica, ¿había escuchado algún género musical en particular? Quiero decir, ¿sabe qué tipo de música solía escuchar Vera, si es que acostumbraba a oír alguna?

—Pues ahora que lo dice, es cierto que su gusto musical distaba mucho de ese esperpento de consumo de *millennials*. Solía escuchar *soul* a bajo volumen, o tal vez *rock* sinfónico, debo decir, de buen gusto.

—¿No le pareció extraño que entonces de la noche a la mañana cambiara de música? —insistí.

—No. La gente cambia —respondió y miró directo a la gorra que Bill había buscado para mí.

Me sentí descubierta. Estoy segura de que ya en ese

momento supo que había sufrido un accidente aunque mi calvicie estuviese oculta y aunque el cuello de la chaqueta que llevaba tapara la venda que aún tenía. Pensé entonces que tal vez todo eso lo sabía desde antes.

—La gente cambia de opiniones, pero no suele cambiar de pronto de gustos —respondí y me quedé mirándolo.

Él no me dijo nada más. En cambio, se movió en la silla de manera teatral, como dando frente a Marina y dejando claro que de allí en adelante me ignoraría.

—Además, la vecina de arriba me dijo que una vez la vio salir de casa vestida de hombre. Aunque eso no tendría nada de malo porque cada uno se viste como quiere…

—¿Cómo se llama la vecina? —preguntó Marina.

—Adele Cartwright. Todo lo que pasa aquí ella lo sabe.

Noté que Marina iba a dar por finalizada la entrevista, pero yo quería preguntar algo más.

13

—¿Desde cuándo vive en esta ciudad?

—Desde siempre —contestó Hellman.

—¿Nunca ha residido en Idaho? —insistí ante el asombro de Marina. No desvié la cara para mirarla, pero estaba segura de que en ese momento no comprendía lo que yo hacía.

—¡Dios! ¿Qué iría a hacer allá? Aquí tengo todo lo que quiero; doy clases en el instituto y aprecian lo que hago. Lecciones de actuación, y también asesoro a nuevos talentos interesados en la escritura de guiones. Nunca me iría de Luisiana. Cualquier otro lugar me parecería insípido.

—¿Tampoco ha vivido en Kansas?

Volvió a reír como antes.

—Debe estarme confundiendo con alguien más —respondió luego de la carcajada y continuó —. Noto que están algo desconcertadas o perdidas.

Miró a Marina después de decir eso.

—Me parece que a usted la vi aquí hace unos días. Vino con un hombre por lo del robo en el piso de Vera Page. La verdad es que aquí nunca había pasado nada, y todavía dudo que pasara. Aunque los de la nueva joyería, se ve que tienen miedo. Se llama Joyería 154 y es lujosísima. Tal vez por eso se han encargado de poner cámaras en todos lados, para evitar cualquier robo, y no contentos con eso, han insistido todavía más en una vigilancia mayor. Han puesto un sistema increíble que yo juzgo exagerado...

—¿Qué quiso decir con lo de «dudo que pasara»? —pregunté.

—Que pienso que fue ella misma la que dejó ese desastre en su apartamento. Tal vez lo hizo antes de tomarse lo que sea que se haya tomado para quedar en ese estado. O pudo ser el amigo que vino esa noche que se la llevó la ambulancia, el que tiene el programa de radio... Pudo ser él quien revolviera todo en ese lugar, buscando algo. Me temo que estarán abusando de cierto tipo de sustancias, de las que llevan a hacer cosas como desordenar una casa, y que producto de ese consumo le pasó a ella lo del estado de coma.

—¿Se refiere a Dick Amery? —preguntó Marina.

—Sí. El del programa de radio. Creo que se llama así —respondió.

—¿Había visto antes a ese hombre por aquí? —quise saber.

—No. Pero tampoco es que me fije tanto. Pudo haber venido sin que yo lo viera —dijo y se levantó. Parecía que había considerado que era el momento de finalizar nuestra visita.

Marina y yo nos pusimos de pie casi al mismo tiempo, nos despedimos y caminamos de vuelta por el corredor. Él nos siguió y acompañó a la puerta.

Una vez afuera, esperaba que Marina quisiera saber por qué le había hecho esas preguntas sobre Idaho o Kansas, pero no me dijo nada.

Ambas subimos las escaleras y tocamos a la única puerta que encontramos cuando llegamos arriba. Desde esa planta en adelante el edificio contaba con un solo apartamento por piso.

Esta vez no obtuvimos respuesta inmediata. Esperamos algunos minutos, y cuando casi desistíamos, escuchamos unos pasos.

—Buenas tardes —dijo la mujer que abrió. Era de contextura gruesa y su cara mostraba manchas de tono rojizo, como si hubiese pasado horas expuesta al sol sin ninguna protección.

—Somos la agente Stein y la agente Toole del FBI. Estamos consultando a varios vecinos si han escuchado o visto algo fuera de lugar en relación con Vera Page. ¿La conoce? —pregunté.

—Claro. Es la vecina de abajo. Y ahora está, bueno, en esa condición extraña según he escuchado en las noticias. Yo soy Adele Cartwright. ¿Quieren entrar? —preguntó elevando la voz al final, como presa de una emoción de las que no pueden ocultarse. Pensé que debía ser un suceso memorable para ella que el FBI la visitara.

—Gracias —respondió Marina.

Estuvimos poco tiempo con ella. Nos confirmó lo de Vera vestida de hombre y una cosa más que la desconcertó. Dijo que Vera era una mentirosa compulsiva, porque se había opuesto a que ella alimentase a un gatito que apareció en el jardín del edificio cerca de la piscina. Argumentó que era alérgica a ellos, pero Cartwright afirmaba que un día vio la puerta de su apartamento abrirse y entrar a ese mismo animalito al interior. Está convencida de que lo dejó entrar.

No sacamos nada más en claro sobre Vera en ese lugar. Tampoco de la incursión de los desconocidos en el apartamento. Hablamos con otros vecinos de los pisos superiores, pero nadie vio ni oyó nada.

Cuando Marina y yo salíamos del edificio y nos dirigíamos al auto, nos encontramos con algo que no esperábamos.

14

Vimos a un grupo de personas acercarse. Dos de ellas tomaban fotos de la fachada del edificio, de la puerta de la entrada y también del auto de Marina. Se trataba de dos hombres y dos mujeres que se habían bajado de una furgoneta y de un auto, respectivamente, estacionados a varios metros de nosotras, frente a la joyería de la que hablaba Hellman. Me di cuenta de que uno de los chicos que portaba cámara nos tomó una foto a Marina y a mí.

En ese momento sentí náuseas e inspiré profundo. Tanto que el pecho me dolió al hacerlo. Era como si mi organismo no estuviese preparado para hacer frente a una situación inesperada. Me había dispuesto solo para ir a casa de Vera y hablar con sus vecinos, sin exigirme demasiado, y en compañía de Marina. Además, le había prometido a Bill volver lo más pronto posible. Pero enfrentarme a situaciones no calculadas, a imprevistos aunque fueran insignificantes, podía ser demasiado para mí. En el fondo, sabía que no debía haber dejado el reposo tan pronto.

No sé si Marina notó algo de mi malestar, pero actuó

rápido para tomar las riendas de la situación. Dijo unas palabras en voz baja mientras veía a los periodistas acercarse a toda carrera hacia donde estábamos. Creo que dijo «allí vienen los buitres otra vez», o algo similar, y después habló en voz muy alta, aunque ya el grupo se hallaba a escasos metros de nosotras.

—No puedes usar esa imagen. Estamos en una investigación y una de las agentes que colaboraba en ella ha sido asesinada hace menos de una semana. ¿Qué ganas con informar a todo el mundo quiénes conducimos la investigación ahora? ¿A quién están ayudando? —reclamó al chico y a todo el grupo.

Sentí pánico ante la idea de desmayarme allí delante de esos periodistas. Imaginé el titular: «Agente del FBI incapaz de mantenerse en pie». Después recuperé la sensatez y pensé en lo que debí centrarme desde el principio. ¿Qué hacían allí? ¿Por qué creían que tomar fotos de la fachada de la casa de Vera sería parte de una buena noticia?

En medio de las explicaciones del chico de la cámara, hablé sin dirigirme a nadie en particular.

—¿Por qué están aquí y no en el psiquiátrico donde se encuentra Vera Page? Entendemos que cubren una pauta periodística y hacen su trabajo, y que alguien en la jefatura de la edición del medio al que pertenecen los envió aquí. Es importante que nos digan la razón.

Hubo dos o tres segundos de silencio. Fue cuando distinguí una cara conocida. Era la chica que había entrado a mi habitación en el hospital, la amiga del policía que resguardaba la puerta.

Ella fue quien respondió.

—Creemos que ahora hay que llevar la noticia desde otra perspectiva. Vera Page se ha convertido en un misterio para la ciudad y su tema da mucha tela que cortar. Es el primer caso de una mujer asesina que entra, luego de cometer un asesinato, en un estado catatónico o cómo sea que se llame su patología. Hemos cubierto la opinión médica y ahora queremos hablar sobre una explicación menos racional.

Lo comprendí. El caso de Vera era oro puro para la prensa porque con pocos elementos comprobados y mucha imaginación se podía construir un artículo de sumo interés. Solo tenían que presentar lo de Vera como un caso de posesión, por ejemplo, publicar la foto de su casa, hacer referencia a una creencia local de lugares encantados, o alguna cosa por el estilo y ya estaba. Los lectores identificarían el caso de Vera como sobrenatural, comentarían la noticia y no tardarían algunos en visitar la calle en la que estábamos para tomarse fotos junto a la puerta del edificio de la misteriosa asesina posesa.

Además, era claro ya que Vera Page estaba sentenciada. Aunque no se había dado el juicio, la opinión pública la había condenado y era para ellos la asesina de los amantes y sus familias. La ciudad podría convertir a Page en una excentricidad para mostrar a los turistas que pasaran por Nueva Orleans buscando conocer la magia del Sur, y que decidieran llegar hasta Morgan City atraídos por el caso de la asesina movida por espíritus oscuros.

El chico de la cámara que había sido reprendido por Marina le aseguró que no publicaría la fotografía con nuestra imagen. Después de eso Marina cambió un poco la actitud de disgusto, siguiéndome el hilo. Parecía haberme dado un voto de confianza, y si yo creía que debíamos hablar con los periodistas, sería capaz de esperar para comprobar si con ello lográbamos algo.

Las náuseas desaparecieron tal como llegaron.

Me di cuenta de que la periodista que me había respondido era la que contaba con mayor liderazgo en aquel grupo. Debía ser la más atrevida, porque haber logrado que el policía en el hospital pusiera en juego su misión para dejarla pasar a mi habitación hablaba con claridad de su fuerte orientación a conseguir lo que se proponía. Quería lograr una buena historia, y eso quizás sería una ventaja para nosotras porque podría manejar nueva información.

El chico y la chica que se habían bajado antes del auto —y que portaban identificaciones diferentes a las del camarógrafo reprendido y a la de mi interlocutora— se dirigieron a la puerta del edificio. Debían tener la intención de entrar y buscar a alguien que les hablara de Vera. Imaginé a Cartwright haciéndolo muy gustosa. También al extravagante Hellman. Fue curioso como en ese momento las sospechas que me produjo ese hombre se habían disipado. Ahora pensaba que era solo un vecino extraño y nada más.

—¿Podemos hablar un momento contigo? ¿Tu nombre es…? —pregunté a la chica.

—Monica Holt —respondió.

Supe que mi memoria no estaba bien. Hacía apenas unas horas que esa mujer había entrado en la habitación del hospital y me había dicho su nombre y el medio para el cual trabajaba, pero lo había olvidado. Otra vez la amenaza de perder condiciones mentales me atacó, aunque no le hice caso. Si continuaba pensando en mi salud y preocupándome a cada paso que daba, no iba a llegar a ninguna parte.

Marina continuaba en silencio, pero había comprendido mi estrategia. En verdad había resultado una buena compañera, y ya para ese momento me sentía culpable de no haberle contado lo que sabía de las sospechas de Hans sobre Benny.

—Quiero pedirle disculpas por lo del hospital… —dijo la chica.

—Está bien —la interrumpí—, ya sé que es tu trabajo. Y todos buscamos hacerlo lo mejor posible. Quería saber qué has obtenido acerca del enfoque del que hablaste antes, a la perspectiva médica de la condición de Vera Page. Creo que en el medio al que perteneces deben conocer a todos los médicos de esta ciudad y del estado, y de seguro los han consultado muchas veces para otros casos. Ahora te pregunto con mucho interés: ¿alguno ha dicho algo diferente sobre la condición de Vera Page? Me refiero a algo que realmente te haya llamado la atención.

Miré a Marina. Fueron solo unos segundos, los suficientes para darme cuenta de que me había comprendido. Aprovechar la información que la chica podía tener y la base de contactos que el medio al cual pertenecía había puesto a su disposición, podía ahorrarnos tiempo en el caso de que hubiese algún médico que tuviese alguna teoría sobre la condición de Vera, y sobre la forma de hacerla hablar. Esto era importante porque solo si lográbamos que Vera hablase con nosotras podríamos avanzar. Allí en su edificio nada más habíamos obtenido la reiteración de lo que ya sabíamos: su conducta era extraña. Estaba segura de que en el centro del enigma de Vera Page se hallaba nuestra única esperanza.

—Ahora que lo dice así, sí hay alguien. Un especialista en casos como el suyo. Su nombre es… ya lo busco en el teléfono. Es que yo no he logrado hablar con él, pero un colega del New York Times me dio sus señas. Ustedes de seguro lograrán algo porque son del FBI. La gente ama el periodismo cuando lee las noticias, pero, por lo demás, cuando intentamos hacer nuestro trabajo, nos desprecia… —sentenció Monica Holt mirando de soslayo a Marina y al fotógrafo, que se hallaba en silencio.

15

Morgan City, 23 de julio

SALIMOS de allí con el nombre que buscaba: Edoardo Bonanni.

Así se llamaba el neurólogo que había hecho carrera en Nueva York y que ahora se hallaba en Morgan City disfrutando de su retiro porque esta era la ciudad donde había nacido y crecido. Al menos eso era lo que afirmaba un artículo que leí en casa, en la noche, después de que devoré unos espaguetis con salsa boloñesa que Bill preparó.

Dormí más de siete horas. Creo que la actividad del día contribuyó para que fuera así. Mi madre siempre me dijo que la «cama enfermaba», y ahora creo que tiene razón.

Era reconfortante poder volver al mundo exterior, aunque las cosas no serían iguales hasta que encontráramos a Hans. Me pesqué a mí misma en una actitud positiva, convencida de que Hans estaría a salvo. Eso era lo que creía en ese momento tal vez porque no podía soportar pensar otra cosa.

A las nueve en punto de la mañana del 23 de julio llegué

al Departamento de Policía donde me había citado con Marina. Tomé un taxi porque, aunque me sentía bien, no quería conducir todavía. Desde allí partiríamos las dos a casa del doctor Bonanni. Recuperé mi arma apenas entré y esperé unos minutos a Marina. Cuando llegó, de inmediato nos dirigimos a la casa de Bonanni.

En menos de veinte minutos llegamos. Cruzamos el puente Grizzaffi sobre el río Atchafalaya, al suroeste de la ciudad, y después de recorrer unos ocho kilómetros, más o menos, giramos a la derecha acercándonos cada vez más al margen del río Bayou. Y justo allí, frente a las aguas del río, se hallaba la casa del doctor; una colosal mansión de paredes color salmón y techos grises. Estaba levantada en medio de un gran terreno de césped perfecto y junto a un monumental roble que parecía llevar allí cientos de años. Debían ser más de 700 metros cuadrados de construcción con una arquitectura que me hizo recordar las casas que he visto en imágenes de las afueras de París.

—Bueno, que no se diga que la medicina no paga bien —comentó Marina mientras rodeábamos la casa, tan maravillada con las dimensiones y la apariencia de aquella propiedad como lo estaba yo.

—¿Por qué habrá vuelto a Morgan City? —pregunté en voz alta y me sentí en la necesidad de explicarme un poco más —. No tengo nada contra esta ciudad ni tampoco contra el estado de Luisiana, pero no te parece extraño que una persona como esta, de afamada reputación entre los médicos de Nueva York, volviera a una parte del país que cuenta con menos de quince mil habitantes y que queda tan lejos de lo que era su mundo. Es como si…

—Quisiera venir a esconderse en esta bonita mansión junto al río —completó.

Moví la cara hacia un lado, solo un poco, y arqueé las

cejas. No lo hubiese dicho así, pero ella tenía razón. Esa era la idea que tenía en la cabeza expresada de forma más directa.

—O se cansó de la ciudad. Eso también pasa. Tal vez añoraba el clima cálido y húmedo de estos pantanos. No es tan raro, si lo piensas bien.

—Tienes razón. Uno puede cansarse —fue mi respuesta.

Cuando terminamos de recorrer el sendero que nos venía mostrando la casa desde hacía minutos, llegamos a una explanada de grava. Nos bajamos del auto y nuestros pies hicieron ese ruido característico de los linderos de los ríos. Era como estar en un paraje natural a muy pocos kilómetros del centro de la ciudad.

La propiedad estaba compuesta no solo de la enorme casa central. A los lados izquierdo y derecho había otras dos construcciones más pequeñas, y me pareció ver a lo lejos una edificación que reflejaba los rayos del sol como si estuviese hecha de paredes de cristal. Pero esta última se hallaba entre unos cipreses y más cerca del río.

Llegamos a la puerta de la casa principal. Era una construcción, sin duda alguna, de arquitectura francesa con columnas y arcos que acompañaban los corredores externos que a cada lado podíamos ver desde allí.

Tocamos a la puerta y esperamos. Sentí calor y mucha humedad. Se notaba la presencia del río cerca y de los pantanos.

De pronto, una voz salió de alguna parte. Una que se originaba en algún aparato. Lo busqué y lo encontré. Había una cámara que nos apuntaba y debajo de ella un micrófono.

—Buenos días. ¿En qué puedo ayudarles? Lo haré con tal de que no sean periodistas.

—Buenos días. Somos Marina Toole y Julia Stein, agentes del FBI. Queríamos hablar con el doctor Edoardo Bonanni solo unos momentos —respondió Marina al tiempo en que mostraba a la cámara su identificación.

—¡Vaya! Esto sí es una sorpresa. Nunca he hablado con nadie del FBI. Ahora mismo estoy con ustedes —respondió la voz.

Aguardamos en silencio un par de minutos hasta que vimos abrirse la puerta. Un hombre con pelo blanco y barba gris, que vestía una sudadera gastada en donde se leía Harvard en letras negras, nos sonreía.

—Yo soy Edoardo, y permítanme, antes de que digan nada, comentar la idea que tengo sobre el motivo que las trae aquí. Vienen a hablarme del caso de Vera Page, ¿verdad?

—Sí —respondió Marina sin más.

—Lo he sabido porque en mis cuarenta y tres años de carrera jamás he tenido la ocasión de contribuir con la inteligencia que atrapa criminales, y la verdad es que eso solo es posible que me sucediera aquí en Luisiana. Esto es, cómo no decirlo, una tierra donde todo es posible y a uno le suceden cosas extraordinarias. Pero pueden pasar adelante… —dijo apartándose para dejarnos entrar—. Hoy la verdadera dueña de esta casa, que es la maravillosa Mary, no está. La he dejado libre de mi presencia unos días, así que de encontrar algún desorden en la sala, no será nada grave. Pasen, por favor —terminó diciendo.

—Gracias —respondí.

Una vez dentro de la casa me di cuenta de que todo lo que había allí era hermoso. Una mezcla magistral de sobriedad y color. Ni aburrido ni recargado. Nos encontrábamos en un claro vestíbulo que conducía a un salón más grande. Desde allí veíamos a través de dos columnas que formaban un arco, la sala y luego un ventanal de cristal que permitía observar el roble que descubrimos antes mientras seguíamos el sendero.

Bonanni nos llevó hasta el salón y nos pidió que nos sentáramos donde quisiéramos.

Yo lo hice en un sillón de cuero y Marina en una silla de espaldas al ventanal. Él se sentó junto a mí.

—¿Querrán algo de beber? —preguntó.

—No, gracias —respondió Marina y continuó—. Tal como ha deducido, hemos venido para hablar de Vera Page. Como sabe, ha pasado por un estado vegetativo que los médicos no han podido explicar, y queríamos saber si usted tendría alguna idea sobre su caso. Entiendo que no lo debe conocer a profundidad, sino lo que ha salido a la luz pública, pero, si lo necesita, podemos ponerlo al corriente.

—Bien. Como ha dicho, no conozco los detalles, pero lo que sé me lleva a pensar que la paciente Vera Page pudo haber consumido una sustancia que la llevara a ese estado, y que es posible que le fuera administrada otra sustancia para revertir el efecto de la primera. Ahora bien, lo que ustedes de seguro no saben es que esa condición en la que estuvo la señorita Page no sería entonces un estado vegetativo en toda regla.

—¿Qué quiere decir? —interrumpí casi sin pensarlo.

—Que si es lo que me temo, Vera estuvo consciente todo el tiempo. Encerrada en su cuerpo y sin poder moverse. Uno podría pensar que esa es de las peores cosas que puede pasarle a alguien, como vivir en carne propia un relato de Allan Poe…

Con solo imaginar lo que el doctor describía, se me heló la sangre.

16

—¿DE dónde saca esas conclusiones? —pregunté.

—Porque no encontraron nada en la sangre de Vera Page. Si lo hubiesen hecho, lo sabría, y la prensa no dice nada de eso. Aunque tal vez haya sido idea de ustedes ocultarlo, ahora que lo reflexiono. ¿Fue así?

—No —respondió Marina.

—Entonces pienso en esas dos sustancias en particular porque no se detectan en la sangre a menos que se sepa lo que se está buscando. Y una de ellas produce acinesia, la otra la revierte.

—Lo siento, doctor, pero no lo seguimos. Tendrá que explicarnos mejor —argumenté.

—Hay una droga llamada MTFP y otra llamada L-dopa, que se utilizan en el tratamiento para el párkinson. La MTFP produce un estado especial comatoso que se estabiliza en la condición que les he descrito: no puedes moverte y ninguna parte de tu cuerpo responde a tu voluntad, pero puedes pensar, escuchar y tal vez sentir a través del tacto. La L-dopa es una sustancia que ocasiona su inmediata inhibición. Estas drogas no pueden encontrarse en sangre a menos que se busquen especialmente. Pienso que primero se le administró una dosis de MTFP suficiente y luego alguien le dio la dosis de L-dopa. Así todo parece un asunto de magia negra como mínimo; Vera Page volvió de la oscuridad del coma de pronto y no presentó secuelas.

—¿Es posible que una persona que se encuentre en ese estado salga de inmediato de él, así sin más? —preguntó Marina, incrédula.

—Sí. No solo es posible, sino muy probable si se trata de esas dos sustancias de las cuales les he hablado —respondió.

—Ahora mismo Page no habla y parece estar desconectada de la realidad. ¿Eso puede ser producto de esas drogas? —pregunté.

—No lo había visto antes —dijo y con su mano derecha se frotó la frente.

—¿Por qué los médicos no pensaron en la MTFP y en la L-dopa al estudiar a Vera? —quiso saber Marina.

—No lo sé. Tal vez no hayan estudiado a profundidad enfermedades neurológicas. Como les digo, este hallazgo se ha derivado de estudios altamente especializados sobre todo con relación al párkinson. Puede que los médicos no hayan tenido suficiente tiempo libre para mirar esos estudios —respondió.

No supe determinar si lo que acababa de decir era una crítica o una nota de condescendencia hacia los médicos del hospital de Morgan City. Podía pensarse que para Bonanni no tener tiempo de leer los avances en la disciplina que debes manejar era un pecado, pero también podría significar que dedicarte a salvar la vida de los pacientes en la vorágine de un hospital no deja tiempo para ponerte al día en los últimos estudios.

Me molestaba no poder interpretar a ese hombre. Sentía que de alguna manera era indescifrable.

—Es esto que les he dicho: o se trata de los estados vegetativos más extraños que conozco, porque entiendo que no se desencadenó después de ningún hecho crítico en su organismo, o igual, así como llegó, desapareció. En mi experiencia eso solo puede pasar con esas dos sustancias que he nombrado. Pero puedo estar equivocado, sin duda…

Algo me dijo que Bonanni no estaba equivocado. Tal vez porque quería aferrarme a una explicación racional que de verdad nos diera pistas sobre lo que le había pasado a Vera Page. Pero si era cierto lo que Bonanni decía, alguien le había administrado a Vera la segunda sustancia que la sacó de aquella condición. ¿Quién?

17

SALIMOS DE LA MANSIÓN, agradeciendo a Edoardo Bonanni su tiempo.

Mientras volvíamos al auto, me sentí confusa. Tuvo que ser en el hospital que le administraran la sustancia inhibidora de la droga anterior, pero entonces alguien sabía lo que le pasaba a Vera y lo había callado. Ese alguien tal vez era la persona que buscábamos. Podría ser el cómplice de Vera.

Entonces me di cuenta de que había sido una tonta. No había preguntado a Bonanni si aún podía detectarse la presencia de alguna de esas drogas en la sangre de Vera.

Me di la vuelta y corrí hacia la puerta de la entrada. Él estaba allí de pie, como si supiese que algo habíamos olvidado. Cuando estuve a su lado, me preguntó con voz amable si necesitaba algo más.

—¿Es posible todavía encontrar vestigios de esas sustancias en el organismo de Vera?

—Sí. Puede que ya no de la MTFP, pero sí de la L-dopa —me dijo.

Le agradecí y volví al auto. Ya Marina se hallaba frente al

volante. Antes de entrar, levanté la mirada y volví a ver a Bonanni, pero ya no estaba allí.

—Si me vuelvo a encontrar a otro tipo raro, creo que pediré un tiempo de descanso —dijo Marina y sonrió.

Era la primera vez que la veía sonreír y yo también lo hice. Marina debía ser una excelente compañera de viaje o de fiesta.

Por un segundo, ese duelo que llevaba a mis espaldas por la desaparición de Hans se difuminó.

—Ya. Hellman sí que era raro, pero Bonanni no me lo pareció. Solo algo «inesperado».

Me miró cuando dije eso y volvió a sonreír.

—¿No tuviste la sensación de que, a pesar del asombro que mostró al recibirnos, nos estaba esperando?

No supe qué responderle.

—Julia, ¿has pensado que si es cierto lo que dice Bonanni alguien debió darle a Vera la dosis de inhibición?

—Sí. Eso también me ha preocupado. Tendremos que revisar las grabaciones de seguridad de la entrada del hospital a ver si reconocemos a alguien; a Amery o a Preston…

—O el sujeto del bar —completó ella.

Entonces lo vi claro y Marina también. Frenó el auto, puso las dos manos sobre la parte superior del volante y luego descansó la cabeza sobre ellas un par de segundos.

—Para eso fue al bar de mala muerte Vera Page, para pedirle a ese sujeto que le administrara esa sustancia. ¿Te parece posible?

—No solo me parece posible, sino muy probable. Si yo fuera Vera Page y quisiera contratar a alguien para que lo hiciera, se lo hubiese pedido a un sujeto como Jean Fulton, que por lo que sabemos opera lejos de la legalidad. Ella también pudo identificar eso cuando lo conoció en la conserjería de la escuela Bayou —respondí.

—Exacto. Y no se lo pediría a Amery o a Preston porque…

—¿Por qué? —la interrumpí y continué—. No se fía de ellos. Aunque si hubiese ofrecido dinero a cambio a Preston, lo hubiese hecho gustoso. No sé. Hay zonas oscuras en todo esto —concluí.

Marina ya había continuado la marcha y nos encontrábamos a punto de atravesar el puente Grizzaffi.

—Revisaremos las grabaciones del hospital y también debemos procurar el examen de sangre de Vera Page. Allí el problema es que, no teniendo ella parientes vivos y estando en el estado en el que está, será difícil obtener una orden. Su madre no cuenta, su hermano murió hace tres años, y ella no parece estar en disposición de hablarnos. Podríamos conversar con el doctor René Keller. Es el encargado del Departamento de Medicina Interna del Hospital Central —me dijo.

—Sé quién es —respondí.

—Quiero contarle lo que nos ha dicho Bonanni y saber su opinión. Tal vez hayan guardado muestras sanguíneas de Vera y podamos comprobar si lo que dice Bonanni es verdad —propuso.

Asentí. Me pareció una buena idea.

Puse la cabeza hacia atrás y cerré los ojos al sentir un leve mareo. Pero lo peor fue lo que pensé en ese momento. Recordé el mensaje que llegó a mi celular la noche anterior. El que provenía del teléfono de Hans. Allí estaba todavía conmigo en el aparato, pero no necesitaba leerlo para saber lo que decía:

«Hola, Julia. Solo quería decirte que Hans está sano y salvo. Pero no puede hablarte. Es muy posible que nunca vuelva a hacerlo».

Supe qué era eso. Hans estaba en esa horrible situación: consciente y sin movimiento. Por eso no podía hablar y nunca volvería a hacerlo. ¿Dónde estaba Hans viviendo ese cuento de horror? ¿Quién le había hecho eso?

Le pedí a Marina que me dejara intentar hablar con Vera. Quería ir al psiquiátrico donde se hallaba y arrancarle la verdad. Ahora que imaginaba, aunque sin certeza, la horrible condición en la que podía hallarse Hans la urgencia era mayor.

Marina estuvo de acuerdo. Ella se encargaría de hablar con Keller mientras yo hablaba con Vera, así que desvió el rumbo hacia el psiquiátrico.

En ese momento recibí una llamada de Bill. Supuse que iba a recordarme que estaba convaleciente y que debía ir a casa, pero no fue eso lo que me dijo. Había recordado algo sobre la última vez que vio a Hans. Algo que no era posible.

18

—Cariño, he recordado lo que decía el papel que se le cayó a Hans. Te dije que iba a pasar cuando menos lo esperara y así fue. Nuestro inconsciente nunca falla aunque a veces tarde en aparecer. Y pasó porque leía la vida de una escultora francesa que permaneció encerrada en un psiquiátrico más de treinta años, porque su hermano así lo quiso. Eso fue a principios del siglo pasado. ¿Lo puedes imaginar? Treinta años de prisión porque tu hermano así lo determina. Entonces, al pensar en cómo sería ese hombre, saltó en mi mente lo que había en el papel de Hans.

—Dímelo de una vez, Bill —le rogué.

—Mencionaba al hermano de Vera y había un número telefónico.

La confusión no me dejó seguir escuchando lo que Bill decía. Le oía hablar, pero como si lo hiciera desde muy lejos. Ese aturdimiento duró unos segundos.

—¿Estás seguro? —lo interrumpí.

—¡Claro que estoy seguro! Ahora no tengo dudas, y la verdad es que me parece extraño que lo haya olvidado.

—Vera Page no tiene ningún hermano. Tenía uno, pero está muerto desde hace tres años.

—Pues no lo sé. Eso era lo que decía el papel.

—¿Puedes recordar el número telefónico?

—No, querida. Solo que había un siete, pero nada más.

—Bill, ¿viste a alguien entregar ese papel a Hans?

—No —respondió.

—¿Ese día en el hospital no viste a nadie que te pareciera fuera de lugar por cualquier razón?

—Antes de toparme con Hans, es decir, cuando salí a fumar en la terraza, sí que me fijé en un sujeto que llevaba una gorra y una camiseta, y que rondaba en el mismo piso donde estabas hospitalizada. Me llamó la atención porque aquel día llovía a cántaros y no me pareció adecuada su ropa. Pero puede ser una tontería. Tal vez dejó olvidado el impermeable o la chaqueta en alguna habitación o en el auto. Además, lo vi de lejos y no podría ni describirlo ni reconocerlo.

—Está bien. Gracias por llamarme. Llegaré a casa en un rato más —le dije y corté antes de que protestara.

Le conté a Marina lo que me había dicho. Ella hizo silencio después de escucharme.

—¿Estás totalmente segura de que el hermano de Vera está muerto? —insistí.

—Sí. Fue de las primeras cosas que comprobamos una vez que el doctor Keller nos hizo ver la omisión que cometimos acerca de Vera. Verificamos su pasado y nos encontramos con que su único hermano, llamado David, y su madre tuvieron un accidente automovilístico y él murió. La mujer quedó en estado vegetativo.

—¿De qué omisión hablas? —pregunté.

—De que al buscar conexiones entre los Glose y los Barthes se nos escapó, nada más y nada menos, que la maestra Page no solo había vivido en las ciudades donde residían las víctimas en la época de los crímenes, sino que había sido maestra de las dos chicas; de Lea y de Sanna. Se nos pasó porque, debido a un asunto administrativo del reporte escolar, no figuraba su nombre, ya que se hallaba suplantando a un profesor titular. Hablo de la escuela de Boise —me explicó.

—¿Y dices que la madre quedó en estado vegetativo? ¿Aún lo está? —quise saber.

—Sí —confirmó Marina.

—Me pregunto…

—Lo sé —me interrumpió y continuó—. Demasiados estados vegetativos en este caso. ¿Estás pensando que la madre de Vera podría…?

—Podría —completé.

Ambas nos referíamos a lo mismo. La madre de Vera podría haber sido sometida a una dosis de la droga de la que nos había hablado Bonanni, y también ser una víctima.

Por lo visto, todas las personas que rodeaban a Vera Page se convertían en víctimas…

19

LLEGAMOS AL PSIQUIÁTRICO, que se encontraba a escasos cinco minutos del Departamento de Policía. Lo sé porque de camino pasamos justo a su lado.

Cuando estuvimos en el área del estacionamiento frontal, cerca de lo que parecía la puerta de entrada, me bajé del auto y me despedí de Marina dando un toque suave en el cristal de la ventanilla.

Ella pasaría por el Hospital Central para ver si era posible conseguir alguna muestra de sangre de Vera y hablar con el doctor René Keller sobre la tesis de Bonanni y el uso de las sustancias que había mencionado. Además revisaría las grabaciones de ese lugar con el fin de averiguar si Jean Fulton había sido captado, y después volvería por mí.

Caminé más rápido, casi como antes. Mis mareos y el dolor de cabeza habían pasado a la historia tal vez porque sentía que estábamos más cerca de descubrir algo.

Me dirigí a la puerta. Se trataba de un edificio gris oscuro con ventanas de cristales negros. No era muy alto, de tres o cuatro pisos, y su forma era rectangular. En letras grandes y azules, en la azotea, había visto el nombre desde que estaba en el auto:

«Centro de salud conductual Santa Margarita».

El lugar era desagradable. No podía creer que Vera Page estuviese allí fingiendo locura, a menos que creyera que eso era mejor a estar detenida en la comisaría y luego pasar a la cárcel. La verdad es que yo me inclinaba más a pensar que Vera había sido una víctima de alguien que se autodenominaba Hermes. El mismo que hizo a Hans pensar que ella tenía un hermano vivo; el que quizás lo tenía cautivo y había asesinado a los amantes de Vera junto a sus familias. Podría incluso haber dejado a la madre de Vera en ese estado de presidio consciente dentro de su propio cuerpo. Lo que no podía creer era que se tratara del hermano de Hans.

Crucé la puerta y un guardia de seguridad me atajó apenas entré. Le mostré mi identificación y, sin ocultar su desagrado, se apartó.

Me dirigí al módulo de información.

Aquel lugar no se veía como una institución médica, sino como una oficina bancaria vacía. Las únicas personas que parecíamos estar presentes, al menos en aquella área, éramos el guardia, una chica sentada en el módulo y yo.

Pero de pronto se abrió una puerta de doble hoja que comunicaba con un área interna y comenzaron a aparecer algunas personas uniformadas con prendas azul claro y blanco. Me fijé en lo que consideré una joven paciente que sonreía y caminaba junto con una mujer que se le parecía mucho, y que supuse debía ser su madre.

Llegué al módulo y le dije a la chica que llevaba puestos unos pendientes de plumas verdes que necesitaba hablar con Vera Page.

—Debe esperar a que el gerente de la institución lo autorice. Se trata de una paciente peligrosa. Por favor, aguarde un minuto. Enseguida vuelvo.

La chica salió caminando y cruzó la misma puerta que se había abierto hacía segundos. A los pocos minutos volvió con una hoja escrita y me pidió que la firmara. Lo hice. Luego llamó al guardia que me había recibido al entrar y le dijo que debía llevarme con Vera Page. El hombre no respondió y me señaló hacia dónde caminar.

Cruzamos la puerta y anduvimos por un corredor que bordeaba un patio interno que mostraba algunos arbustos y varios bancos.

De pronto, él se detuvo frente a una puerta. Yo también lo hice.

Junto a ella estaba un policía. Vera permanecía bajo custodia policial porque podría ser peligrosa. Había confesado ser la asesina de los Barthes, sin embargo, lo que hizo en mi habitación no podía considerarse una declaración formal. Se mantendría vigilada hasta que el psiquiatra forense la pudiese evaluar.

—Tiene la autorización. Viene a ver a la paciente —dijo con voz carrasposa.

El uniformado movió la cabeza hacia abajo en señal de asentimiento y me miró con curiosidad. Le mostré mi identificación. Creo que pensó algo como que «los del FBI siempre hablamos con monstruos». Al menos, una idea similar pude leer en su expresión.

—Debo acompañarla —me dijo el policía.

Abrió la puerta del cuarto que custodiaba y me invitó a pasar.

Esperaba no encontrar a Vera en el mismo estado de la última vez, cuando iba a atacarme. Deseaba encontrarla mejor, porque tenía que hacerla hablar. Además, aquellos ojos que reflejaban locura me hacían recordar a los de mi hermano Richard cuando, lleno de furia, se me acercaba para golpearme. Las peores cosas que uno ha vivido, en mi caso en la infancia, a veces vuelven y hay que hacerles frente.

Di tres pasos cortos mientras me acostumbraba a la oscuridad. En contraste con el exterior, la sala era una penumbra, pero pude ver a una mujer sentada en el borde de la cama, con la cabeza puesta hacia abajo. Ni siquiera se movió al oírnos entrar.

—Está así desde que la trasladaron aquí. No va a lograr nada con ella —sentenció el policía.

20

—Está bien —le respondí cortante porque ya me parecía bastante molesta su presencia. Sobre todo para intentar que Vera confiara en mí.

Continué avanzando y levanté la mano, un poco, dejándola extendida como en señal de que parara. Él comprendió la seña y se detuvo más cerca de la puerta.

Cuando llegué junto a la cama, miré a Vera. Ella aún no levantaba la cabeza y lo único que yo veía era su pelo blanco enmarañado. Parecía desde allí una mujer vieja porque no podía verle la cara, solo la cabeza y el cuerpo cubierto de un uniforme blanco, holgado. Me fijé en sus manos, eran pálidas y pequeñas como las de una niña. Reposaban sobre sus piernas.

—Estoy aquí porque tengo que descubrir dónde está mi compañero y hay un hombre que dice ser tu hermano y que existe, y que creo que se comunicó con él. O al menos sé que mi compañero pudo haberlo contactado, pensando que era tu hermano, y podría ser el responsable de su desaparición —le dije.

Ella no me respondió.

—Sé que la clave está en el empleo de MTFP —me atreví a decirle.

No lograba nada en ella, ni siquiera un mínimo movimiento.

—Sé lo de las drogas, el MTFP y el L-dopa. Sé que alguien te administró una dosis de la segunda y que todo ese misterio que se ha tejido sobre ti en la ciudad es mentira. Que eres una persona normal que cayó en ese estado por efecto de esos fármacos. ¿Quién te está haciendo esto? ¿Quién te controla?

Ella movió un poco la cabeza como si de pronto hubiese decidido mirarme, pero al final no lo hizo.

—Sé que eres inocente —declaré.

Entonces levantó la cabeza y me miró. Ya no tenía esa mirada horrenda de antes.

—No puedo decirte dónde están las cartas que Hermes me ha estado enviando, en ellas lo explica todo, porque no lo recuerdo... Tal vez junto a su hijo. Ya te he hablado de Hermes, ¿verdad? Es el hombre que vive en mi cabeza. Ahhh..., pero si tú lo conocías. Lo nombraste antes. ¿Él también te habla a ti? —me preguntó con la voz quebrada.

Volvió a mirar hacia abajo y con sus dedos rozó insistentemente la tela blanca sobre las piernas.

—¿Junto a su hijo? —me repetí, y en ese momento se me ocurrió una idea. Podía ser que no lograra que Vera me hablase, pero también podía ser que eso que acababa de decir fuera suficiente.

Salí corriendo de allí.

De algo me había servido pensar una y otra vez en las entrevistas que Marina había llevado a cabo y que me transmitió por videollamada mientras estuve en cama.

LLEGUÉ ANDANDO hasta la calle principal por donde recordaba que Marina había cruzado para entrar en el psiquiátrico. Detuve un taxi y le pedí que me llevara a la escuela Bayou. El tiempo se me hizo eterno y tan solo fueron quince o veinte minutos. Tuve el impulso de avisar a Marina, pero preferí esperar a comprobar si estaba en lo cierto.

Cuando llegué a la escuela, mostré mi identificación a todo el que encontraba en el camino y que, intuía, pretendía detenerme. Caminé mirando los rótulos sobre las puertas de los salones hasta encontrar la sala de artes plásticas.

La puerta estaba cerrada pero sin seguro. No había estudiantes en la escuela y eso fue una suerte. El salón estaba vacío. Entré y me detuve en medio de la sala. Con la mirada lo busqué y lo vi. Era una escultura pequeña del *Hermafrodito durmiente*. Caminé hasta él y lo levanté. Estaba tras otra escultura abstracta de madera de mayor tamaño. Podría decirse que la pequeña escultura había sido puesta allí detrás para que nadie reparara en ella.

Sentí un tirón en la rodilla cuando me desplacé hasta

donde estaba ese objeto. Creo que tropecé con algo en el camino. Escuché voces a mi espalda.

—¿Pero qué se supone que está usted haciendo aquí...? — dijo una voz de hombre.

Recordé a Michael Dunne y su vigilancia sobre Vera. Debía ser él quien me hablaba. No le respondí. Primero quería llegar a la escultura.

—No sé quién es. Hay que llamar a seguridad —continuó diciendo la voz, dando una instrucción a alguien más.

Tomé la escultura y miré en su interior. Era lo que esperaba. Se trataba de un objeto con una cavidad secreta del tamaño adecuado para albergar papeles. Pero estaba vacía.

Alguien había llegado antes que yo.

22

Recordé que Albert Preston pertenecía a la junta de padres y parecía tener poder de decisión en ese lugar. Podría haber contado con una llave de ingreso a la edificación o tal vez ni siquiera le hizo falta. Así como yo había entrado hasta allí, él también pudo hacerlo y sin levantar ninguna sospecha. También me acordé de que Marina lo había puesto bajo vigilancia después de entrevistarlo.

—¿Albert Preston o alguien más ha estado en este lugar en las últimas horas? —pregunté dando la vuelta y quedando frente a Michael Dunne.

Cuando vio la placa de identificación del FBI que portaba se sintió confuso, tartamudeó y como pudo respondió.

—Albert estuvo aquí hace un par de horas —alcanzó a decir.

Salí de allí y llamé a Marina. Le conté lo que pensaba y le pregunté si aún continuaba el seguimiento sobre Albert Preston. Me dijo que sí. Esperé un par de minutos mientras ella se comunicaba con quienes hacían la vigilancia y obtuvimos la confirmación de que Preston había visitado la escuela ese mismo día, mientras nosotras estábamos en casa de Bonanni, y luego había ido a una cafetería ubicada en el centro de la ciudad, donde se encontró con Dick Amery. Estuvieron hablando por espacio de quince o veinte minutos mientras este último se tomaba un café y leía un periódico. Luego cada uno se fue por su lado.

—No lo creo, Marina. Amery tiene un programa de radio muy temprano en la mañana, y eso posiblemente indique que todos los días se levanta apenas amanece y antes de llegar se preocupa por estar bien informado. Tú lo has visto y has hablado con él. Es un insoportable sabelotodo tal como me dijiste. Y lo más seguro es que, cuando vaya al programa, lo haga conociendo lo que ha sucedido, las últimas noticias de la noche y las primeras del día, porque no se expondría a que alguien le dijera algo que él no supiera, algún oyente, por ejemplo. ¿Por qué a las diez o nueve de la mañana estaría leyendo un periódico en una cafetería? Creo que fue el mecanismo de entrega que diseñaron por si alguien los seguía. Entre las hojas de ese periódico debieron entregarse las cartas de Vera. Ellos dos, por alguna razón, están planeando hacer algo que involucre al caso de Vera Page. Creo que Preston y Amery también buscaron esas cartas en el apartamento de ella, pero no las encontraron, y entonces a alguno debió ocurrírsele que en la escuela podrían estar —expliqué.

—¿Pero cuál es el interés en esos papeles y por qué tanto misterio? ¿Qué quieren hacer con ellos?

—No lo sé. Tal vez inculpe a alguno de los dos. Recuerda que Albert Preston necesita dinero y bien podría haber hecho el trabajo de entregar las cartas a Dick Amery si este le pagó para hacerlo. Lo cierto es que para nosotras es de vital importancia conseguir esas cartas. Es muy difícil que Vera hable. La he visto y puede que al final lo lográramos, pero no tenemos tiempo para intentarlo. Aunque Vera presente un trastorno psiquiátrico, crea que dentro de ella vive un asesino llamado Hermes y sea la culpable de la muerte de los Glose y los Barthes, de todas formas tiene un cómplice que le administró la droga inhibitoria. Y ese cómplice debe tener cautivo a Hans. Esas cartas podrían contener alguna clave.

—¿A dónde vamos entonces? ¿A casa de Preston o de Amery? —preguntó.

—Envía agentes a casa de Preston. Tú y yo vayamos a ver a Amery —le propuse.

—Estoy a cinco minutos de la escuela. Paso por ti —me dijo y cortó.

La esperé y el tiempo se me hizo eterno. Comencé a sentirme mal, pero no quería aceptarlo. Las náuseas me invadían. Respiré profundo un par de veces y sentí una leve mejoría. En eso llegó Marina y nos dirigimos a casa de Amery.

Cuando llegamos, tocamos a su puerta y esperamos. Amery abrió y nos preguntó qué deseábamos.

—Buenas tardes. Ella es la agente Stein. Queríamos hablar con usted un momento. ¿Podemos entrar? —preguntó Marina.

—Sí, claro, adelante. Creo que la vi en el hospital cuando me equivoqué de habitación —dijo dirigiéndose a mí.

Simulaba estar tranquilo y sonreía, pero su lenguaje corporal lo delataba. Vi como sus manos temblaban cuando terminó de abrir la puerta y luego cuando la cerró.

Nos condujo a un pequeño estudio y nos pidió que aguardáramos un minuto. Después escuchamos que subía las escaleras que habíamos visto de reojo al entrar. A ambas nos extrañó que se ausentara en ese momento. Marina me hizo señas para que aguardara allí mientras ella salía y daba la vuelta a la edificación. Presintió que Amery quería escapar, y que tal vez pretendía salir utilizando alguna puerta de emergencia del segundo piso.

Yo me quedé vigilando la escalera y Marina salió. Al poco tiempo escuché el sonido de una ventana o de una puerta batirse. Era cierto lo que suponíamos: Amery quería escapar.

Intenté subir las escaleras lo más rápido, pero no logré hacerlo. Una sensación de vértigo me invadió. Todo daba vueltas bajo mis pies, y casi pierdo el equilibrio y caigo. Como pude llegué hasta la planta alta y busqué a Amery. Vi abierta la puerta ventana de una de las habitaciones. Avancé hasta ella y me asomé. Abajo estaba Marina, deteniéndolo. Él llevaba algo en las manos. Supuse que eran las cartas de Vera.

Pensé que yo no volvería a ser la de antes, y esa idea me hizo mucho daño. No podía, ni siquiera, perseguir a un sospechoso…

23

En la noche obtuvimos la confesión de Amery.

Desde hacía tiempo él buscaba un caso psiquiátrico complejo para publicitarlo como un asunto paranormal y escribir un libro. Quería que le dedicasen muchos artículos de prensa y ser el invitado estrella de programas de televisión.

Me resultaba increíble comprender la mezquindad que encarnaba Amery. Aprovecharse de una persona que confiaba en él para promover su fama era de las cosas más ruines y retorcidas que había conocido.

Todavía recuerdo sus palabras:

—Me llamó y me pidió que fuese a verla en el hospital San Alfonso de Boise, donde estaba su madre hospitalizada y donde su hermano David murió. Yo estuve dispuesto a viajar para verla. Nos vimos en la cafetería del hospital y me mostró algunas de las cartas de «Hermes», y me preguntó mi opinión. Al ver la similitud de las letras y el nivel de conocimiento de Vera que se reflejaba en ellas, no tuve más opción que pensar que ella misma era quien las escribía, en medio de un episodio psicótico por la muerte de su hermano. Pero vi la oportunidad de que Vera se acercara más a mí, que dependiera de mí. Le dije que era posible que ella estuviese siendo utilizada por un ente por alguna razón. Que podría ayudarla a desentrañar ese asunto. En principio, le pareció una locura y me despachó con un «voy a pensármelo», pero luego continuó confiando en mí. Claro que nunca sospeché que ella había matado a los Glose sino hasta que los Barthes murieron. Si había cartas en las que confesara ser la autora escribiendo como Hermes, nunca me las enseñó. Después de la muerte de los Barthes fue cuando pensé que era mucha coincidencia que sus dos amantes hubiesen muerto de la misma manera y...

—Y entonces fue cuando usted calculó que debía haber más bonitas cartas de Hermes que hicieran interesantes revelaciones sobre los asesinatos, que su amiga Vera era una homicida perturbada y que sería muy provechoso para su carrera poder hacerse con esos escritos, ¿no es así? —recuerdo que le pregunté molesta.

Me dijo que sí. Además reconoció que le pagó a Preston para que le trajera las cartas de Vera que él sabía estaban en alguna parte.

Amery fue al apartamento de Vera una vez que la hospitalizaron para hacerse con esos escritos, y no tuvo que forzar la entrada porque contaba con la clave de ingreso de la puerta principal. Era una gran oportunidad para él «traducir» ante el mundo el caso de Vera con información privilegiada. Pero no encontró lo que buscaba y le llevó varios días pensar en qué lugar podría haber guardado Vera las cartas, hasta que recordó el salón de arte. Fue cuando pensó en aliarse con Preston porque sabía que él tenía acceso a la escuela y que tenía problemas de dinero, ya que Vera se lo había dicho. Contactó a Preston y le propuso pagarle si encontraba ciertos escritos de Vera en la escuela. Hasta lo amenazó, porque cuando entró a casa de Vera se dio cuenta de que alguien había entrado violentando la puerta ventana y supuso que era él. Preston le confesó que su presencia allí se debió a que estaba desesperado y necesitaba encontrar unas prendas de valor que Vera le había vendido. Amery sospechó que era mentira, que la desesperación de Preston por conseguir dinero para pagar sus deudas de juego era tal que había entrado como un vulgar ladrón a robar.

Quedaba resuelta la interrogante del desorden en casa de Vera y también que ninguno de ellos le administró la dosis de L-dopa porque no les convenía que despertara. Pensaban que no saldría de ese estado y por eso se atrevieron a actuar como lo hicieron. Aquello era un punto más a favor de la tesis de que quien administró la dosis inhibitoria a Vera fue Jean Fulton.

Cuando aclaramos todo esto, Amery nos entregó las cartas. Marina me pidió que me las llevara y las analizara, y eso era lo que yo deseaba hacer. No había nada más en el mundo para mí que lograr descubrir en esas líneas algo que nos condujera a Hans.

Estuve toda la noche despierta trabajando en la sala de casa. Perdí la cuenta del número de tazas de café que tomé. Encontré información, pero no la que buscaba. La mayoría de los papeles daban cuenta de un intercambio epistolar de Vera con el sujeto llamado Hermes, pero por lo que pude ver se trataba de la misma escritura. La caligrafía de las cartas firmadas por Hermes era idéntica a las firmadas por Vera.

—Si ella las envió a Hermes, ¿por qué estaban en su poder? —fue lo primero que me pregunté.

Las cartas develaban el misterio del coma de Vera y de por qué se indujo a ese estado de manera voluntaria, entre otros hechos. Vera intentaba evitar que Hermes (quien vivía dentro de ella) cometiera el asesinato de Timothy Barthes y su familia.

La fechada el 11 de julio, firmada por Vera, decía:

No podrás esta vez matar a nadie, Hermes. He ideado un plan para evitarlo. Si no puedo mover mi cuerpo tú tampoco podrás usarlo. Empleando el mismo método que me propusiste para vengarme de mamá, te detendré. Con ella estaba bien porque Dios sabe que se lo merecía, vale que esté despierta y consciente y que nadie lo sepa, pero no necesito hacer daño a alguien más. No soy como tú. Ya he acordado la administración de la droga que me sacará de ese espantoso estado en el que consiento estar por unas horas, para convencerme de que no soy una asesina, y de que tú existes fuera de mí. Se trata de alguien inescrupuloso y ajeno a todo esto que lo hará por dinero. Te he vencido, esta vez.

También hallé entre las cartas un artículo médico en el que se describía cómo salir de ese estado comatoso con la administración de la sustancia L-dopa, lo cual confirmaba todo lo que nos había dicho Edoardo Bonanni. También que Vera envenenó a su madre, Helga Allen, administrándole la dosis necesaria de MTFP. Y lo más importante, se la había administrado a sí misma para disipar las dudas sobre si era o no una asesina. Esa debía ser la interrogante que la carcomía; no saber si ella había matado a los Glose y a los Barthes. Lo que estaba claro era que Vera libraba una lucha contra Hermes.

Los intercambios epistolares relataban el asesinato de los Glose con lujo de detalles, la relación amorosa con Timothy Barthes y con John Glose. Sin embargo, el «asesino» era el supuesto hombre que escribía firmando como Hermes. Vera, en algunas cartas, intenta convencerlo de que no haga daño a nadie más.

Parecía un caso claro de doble personalidad. No podía concluir otra cosa que no fuera que Vera se enviaba las cartas a sí misma. Por más que daba y daba vueltas a los escritos no lograba encontrar algo diferente.

—¿Quién es Benny? ¿Benny es Vera? ¿Benny es Hermes?

¿Cómo hizo Hermes para saber tantas cosas sobre Vera si de verdad se trata de alguien real? Y si existe, ¿cómo hizo para copiar a la perfección su manera de escribir y para convencerla de que vivía dentro de ella? —me preguntaba.

Pensé que el cerebro iba a explotarme. Que no encontraría a Hans y que no valía para el trabajo en el FBI. Toqué mi cabeza y otra vez los incipientes cabellos intentando poblarla se sintieron como espinas en mis manos. ¡Odiaba la gorra y no ser como antes!

Por primera vez me sentí tan hecha polvo. Tenía que descansar, dormir algo. Había convencido a Bill de que se fuera a la cama temprano porque yo me quedaría trabajando. En ese momento creí que sería buena idea que Bill mirara las cartas. Tenía la formación adecuada y podría tal vez ver algo que yo no estaba encontrando. Fue cuando se me ocurrió que una manera perfecta de que alguien te conozca a fondo es que te trate como psicólogo o como psiquiatra.

—¿Y si era eso? ¿Y si se trataba de un médico que consultara Vera antes? —pregunté en voz alta.

Me levanté y di vueltas sobre la mesa donde había esparcido los papeles.

Cuanto más lo pensaba, más me parecía acertada esa idea. Podría tratarse de un médico especialista al que le cuentas todo, que llega a explorarte más que tú mismo. Hasta podría conocer tu letra y copiarla, y vigilarte sin que ni siquiera lo notaras. Alguien tan inteligente o más que Hans…

Eran las cinco y media de la mañana, pero la hora no me detuvo, así que llamé a Marina.

Teníamos que averiguar quién había sido el médico —el psiquiatra o psicólogo— que antes había tratado a Vera Page.

PARTE VI

1

Lugar desconocido, 24 de julio

—Ya es hora de que hablemos de Vera. Ella ha significado mucho para mí —dijo la persona que tenía cautivo a Hans.

Desde que lo llevó a ese lugar no había podido moverse. Lo alimentaba por medio de sueros, lo aseaba y lo mantenía consciente todo el tiempo.

Había dispuesto un portasueros junto a la cama donde estaba Hans y sobre una de las mesas de la habitación había puesto toallas húmedas, papel higiénico, alcohol, compresas, algunos instrumentos quirúrgicos y dos botellas de desinfectante. A medida que pasaban los días la habitación había comenzado a despedir un olor parecido al que se percibía en los hospitales.

—Todo comenzó cuando la vi padeciendo esa crisis nerviosa. Recuerdo como si fuera ayer lo que decía, como si esas palabras hubiesen salido de mis cuerdas vocales: «Ahora estás allí y vas a recuperarte, cuando mi pobre hermano, lo único que quería en la vida, lo único que me importaba, está muerto por tu culpa. Helga Allen, hermana del flamante Federico Allen, experto cazador de los mejores ciervos de cola blanca del país, y que siempre hizo lo que quisiste tú. Ojalá te murieras, ojalá hubiese algo peor que la muerte para ti». Se veía hermosa y estaba desesperada. Era como aquella niña que una vez vi, y me dije: tiene que ser ella.

Hans lo escuchó reír.

—Ya en ese momento yo necesitaba a alguien. Y nadie mejor que aquella niña de mi adolescencia, aquella que me había comprendido. Ella me haría atreverme y me calmaría otra vez, me daría la fuerza necesaria para apagar esa lucha interna que durante toda mi vida había mantenido. En ese momento se me ocurrió algo fantástico para agradecerle a la vida la maravilla de haber vuelto a encontrar a ese ángel que intentó consolarme: hacer lo que fuera para liberarla. A todas luces odiaba a su madre y tenía la valentía de decirlo. Ahora aquella niña me necesitaba, haría posible que pudiera vengarse de su madre de una forma más que espeluznante. Solo yo sabía cómo hacerlo. Y tal vez así también me atreviera a vengarme de la mía, me dije. Vera Page sería mi fuerza. La que me había hecho falta…

Hans pensó en ese momento que tal vez fuese mejor que todo acabara de una vez. Que lo matara para no continuar en ese estado tan desesperante.

—Era como crear a mi propia criatura de odio, como un Frankenstein moderno. Haría que fuera su propia hija la que administrara la dosis de MTFP a su odiada madre. Sabía que era capaz. Por otro lado, no solo tú sabes investigar a las personas. Yo también sé hacerlo y mejor que tú.

Hans presintió que la persona se aproximó. Escuchaba la voz muy cerca de él.

—Logré hacerme con el celular de Vera, colarme en su casa, revisar su pasado y conocer el nombre del psiquiatra que la había tratado de adolescente. Un simple robo en el consultorio de ese médico, y la ubicación de la hoja clínica, me informó de muchas cosas. También supe que mantenía una relación con un hombre casado y que siempre desarrollaba ese tipo de relaciones. Que cuando era una adolescente estuvo convencida de que tenía doble personalidad y alguna vez hasta pensó en suicidarse. Y que la única persona que realmente quería era a su hermano David, ahora muerto. Lo conocí todo sobre ella.

Hizo una pausa e inspiró profundo. Después continuó.

—Pensé que tenía que entablar una relación con la atormentada Vera, pero de una manera no directa, ni cara a cara. Necesitaba que mi identidad quedase subsumida en una atmósfera vaga, que hiciera a Vera preguntarse si no sería producto de su imaginación esa «nueva y desconocida» amistad. Así que le dejé una carta. Sí, como lo oyes, sencillo y primitivo pero muy efectivo. Era una carta impactante que la retrataba por completo; sus temores, sus odios, sus más escondidos secretos. Firmaba con el nombre «Hermes». Ella no supo qué hacer cuando leyó aquella primera carta. Decía que sabía que odiaba a su madre y que la entendía, que el odio necesitaba atención, y creo que fue por esto último que decidió responderla, porque sabía que era cierto. Continué dejándole cartas a Vera y ella seguía respondiéndolas. Se hizo adicta al intercambio epistolar con Hermes. Algunas tardes se veía con John Glose (su amante de turno y padre de una alumna), pero sé que no veía la hora de leer la nueva carta del hombre desconocido que se hacía llamar Hermes. Yo tampoco podía esperar a leerla. Me convertí en su fantasma deseado. Tú nunca has sido el fantasma de nadie, ¿verdad?

Cuando preguntó eso se levantó de una silla que había dispuesto muy cerca de la cabeza de Hans, junto al portasueros, y dio una vuelta por la pequeña habitación. Después caminó a la otra área de la casa, desde donde podía ver los árboles y el pantano porque las paredes eran de cristal. Se preparó una taza de café en el área más grande de la casa, integrada por la cocina, la sala y el comedor. Pensaba en lo bien que le habían salido las cosas.

Luego, cuando terminó de tomarse el café, lavó la taza, la dejó sobre una pequeña despensa y volvió con Hans. Se sentó en la misma silla y acarició su cabeza.

—Aquí estoy de nuevo. Te decía que soy el fantasma de Vera Page. Ella comenzó a sospechar con fuerza que todo era producto de su imaginación debido a que escribía las cartas enviadas por Hermes con una letra idéntica a la de ella. Pensaba que Hermes no existía y que ella misma escribía las cartas relatando las cosas horrendas que podía hacerle a la persona que más odiaba: su propia madre. Vera no entendía cómo una persona desconocida sabía tanto de ella, de sus propios pensamientos. Creo que algunas veces se preguntó si podía tratarse de alguien conocido, pero nunca dio conmigo. Lo mejor fue cuando logré que le administrara la droga a su madre. La misma sustancia por la que hoy tú padeces…

Hans comprendió que la madre de Vera llevaba tres años así como él. Pensó que ese podía ser su destino a menos que Julia lo encontrase. Alguien tenía que dar con él…

—La salud mental de Vera ha ido de mal en peor. Después deseó la muerte de John Glose y también la complací en eso. Yo los maté a los tres. Era el verano de 2016 y John, Teresa y Lea se fueron a su casa vacacional en Featherville. Ingresé en la casa vecina a la de los Glose y planeé el asesinato. Cuando estaba merodeando la casa encontré a un encargado del mantenimiento de la villa llamado Alan Turner. Lo vi saliendo de la casa de los Glose en actitud sospechosa. Lea estaba allí adentro, así que imaginé que ambos jóvenes estaban liados y quise perturbar un poco al chico porque lo vi demasiado feliz.

Lo llamé con una excusa y le hice saber que conocía su pequeño secreto y que tal vez se lo dijera a John. Por esa razón Alan Turner volvió a casa de los Glose, mostrándose nervioso, porque quería saber si yo había cumplido mi promesa y había delatado la relación con la chica menor de edad. Lo más extraordinario fue que nunca habló de mí. ¿Lo ves? ¿Te das cuenta? —preguntó a Hans y, al hacerlo, le agarró la mano y la sostuvo, apretándola.

—Todo porque no quería perder su trabajo —continuó—, y no cumplió su deber de decir lo que sabía, y siempre supe que nunca lo haría. Ya he vivido la traición antes y sé lo que es. Es la fuerza más poderosa que hay porque ataca a todos, en especial a los débiles. Y, bueno, creo que ya te lo he contado todo. También maté a los Barthes por la misma razón, porque Vera lo quería muerto, a Timothy, ya que iba a dejarla. Ella no se atreve a hacerlo y entonces entro yo en el juego. Vera intentó jugarme una mala pasada. Inventó administrarse una dosis de MTFP así misma para estar «inutilizada» el día que Hermes le escribió que mataría a Timothy, el 13 de julio. Porque debo decirte que nuestro intercambio epistolar nunca se detuvo. ¡Me encanta cuando pienso que ella cree que estoy dentro de ella! Lo de imitar a la perfección la escritura de los otros me ayudó mucho en eso. El hecho es que supe que algo iba mal y adelanté la fecha del asesinato de los Barthes para dejar a Vera con la duda de si lo hizo ella o no. Parece mentira que todavía se resista a la idea de que es una asesina, y de que eso no es tan malo cuando está justificado. Yo también maté a un joven cuando tenía diecisiete años, a un chico inglés que tuve la fortuna de conocer, y gracias a eso soy lo que soy. Pero eso te lo contaré en nuestra próxima charla, cuando también hablemos de lo más importante, del nexo entre nosotros.

Hans sabía a lo que se refería y sintió pánico.

—La verdad es que no sé a quién contrató Vera para que le administrara la dosis inhibitoria del efecto MTFP. Aunque creo tener una idea…

La persona soltó la mano de Hans y le dio dos toques suaves en el brazo.

Hans pensó que él sí sabía a quién había pedido Vera ese encargo. Recordó a Jean Fulton y también que Sanna vio a Vera en el bar Oasis. Sacó la conclusión de que Vera contrató a ese sujeto, y que por eso estaba en ese lugar la noche del 11 de julio. También que la chica Sanna la vio allí, y a eso se refería en la nota sobre el programa de graduación que él había encontrado junto con Marina.

—Se resiste todavía a fusionarse conmigo, tal como el Hermafrodito fusiona dos naturalezas. Esa me parece una idea excitante, más que cualquier otra. Ahora Vera ha despertado, pero eso no me preocupa. Con el tiempo sabrá que todo lo he hecho por su bien. Y para la ciudad y tus amigos del FBI, ella es solo una loca que mata a sus amantes cuando pretenden dejarla.

La persona volvió a levantarse y se acercó al oído de Hans.

—No corremos ningún peligro. Ahora creo que me he ganado tu respeto, Hans. Lo del trozo de papel con el teléfono del hermano de Vera fue un buen punto para mí, lo creíste sin dudar. Ni siquiera a ti se te hubiese ocurrido algo tan ingenioso… —dijo en un susurro.

2

Morgan City, 24 de julio

MARINA INVESTIGÓ quién fue el psiquiatra de Vera. Se trataba de un doctor que había muerto hacía cinco años, pero los agentes que fueron al consultorio averiguaron que tres años antes hubo un robo y que revolvieron los expedientes de los pacientes, aunque solo se llevaron el de Vera.

Yo quería convencer a Vera de que me hablara, y para ello era fundamental que creyera en la existencia de un asesino «fuera» de ella. Lo del robo de su expediente podía contribuir, pero no era suficiente. Así que esa mañana me quedé en casa repasando el caso porque todavía confiaba en que podría encontrar algo que me condujera a la prueba que Vera necesitaba, para comprender que había sido utilizada por alguien.

Es cierto que algunas veces me asaltaban dudas sobre su implicación en los asesinatos, pero la mayoría tendía a pensar que no tenía nada que ver en ellos, que solo era una persona desequilibrada a quien Hermes había utilizado. Lo de la madre era diferente. Si la culpaba de la muerte de su hermano, yo creía que podía haber sido muy capaz de administrarle la droga, y que ese acto a su vez contribuyó a minar aún más su salud mental.

Me sentí mal de repente. Me di un baño y el malestar disminuyó. Aún no me acostumbraba a sentir el agua sobre mi cabeza desnuda. Era una sensación extraña. Luego me miré en el espejo y ya la imagen que reflejaba comenzó a parecerme menos desagradable. Empezaba a acostumbrarme, pero no me sentía capaz de salir a la calle sin la gorra.

Volví al trabajo, ahora sobre la cama. Puse todos los papeles de los expedientes Glose y Barthes sobre ella y los analicé una y otra vez. Continuaba dando vueltas y vueltas a lo mismo; observaba las fotos de la escena del crimen en esas magníficas casas convertidas en espacios sangrientos, y entonces recordé a los animales. A los tres gatos rondando la sala de los Barthes.

—¿Sería cierto que Vera Page era alérgica a los gatos? ¿Qué tan grave sería la reacción producto del contacto con ellos? —me preguntaba.

Si estuvo en esa casa vacacional de los Barthes para asesinarlos, eso podría ser un elemento a considerar. Podríamos preguntar en el hospital si era evidente algún signo de alergia en su organismo cuando ingresó la noche del 12. Aunque enseguida me dije que era un punto muy débil porque pudo haber tomado un antihistamínico antes.

No, tenía que pensar en otra cosa…

Creo que, por asociación de ideas, lo de la alergia a los gatos dicho por la vecina me hizo pensar en Hellman, el otro vecino de Vera. Me desagradaba ese hombre y tal vez por eso pude acordarme con mucha precisión de sus gestos y sus palabras.

Fue como revivir aquellos minutos en su apartamento. Y entonces obtuve lo que buscaba: se trataba de un mínimo detalle, pero podría ser importante.

3

LA PRUEBA de que Vera no había podido matar a Timothy, a Diane y a Sanna se encontraba en la cámara de la joyería de la cual había hablado Hellman.

Tal como habían sucedido las cosas —me refiero a la muerte de Ramsey, mi estado de convalecencia, la desaparición de Hans y el extraño caso de la principal sospechosa que de repente se despierta y se acusa a sí misma—, este caso había resultado muy complicado, y los pequeños detalles que en una investigación menos accidentada habríamos considerado, los pasamos por alto.

Hellman nos habló de una joyería que había instalado un sistema de vigilancia exagerado, en su opinión. Y fue esa palabra la que me dio la idea: «exagerado».

—¿Qué significaba para Hellman ese adjetivo? —me pregunté en voz alta.

Me aferré a una idea que resultó ser cierta: las cámaras recién instaladas de la joyería captaban la puerta de entrada y salida del edificio de Vera. También la puerta del garaje. Además contaban con buena capacidad de memoria y almacenaban los registros por tres semanas. De hecho, las modificaciones en la vigilancia del local se habían hecho apenas unas horas antes del asesinato de los Barthes el mismo 12 de julio, y uno de los empleados aún no estaba al tanto de la nueva disposición del sistema. Justo ese empleado habló de manera superficial con un agente de policía cuando sucedió lo del robo en la casa de Vera, y ninguno de los dos comprobó si el sistema de vigilancia arrojaba algo importante.

Pero Hellman es de los que se enteran de las cosas de manera temprana, puede que por su capacidad de observación. Por alguna razón se dio cuenta de que la joyería había optimizado la vigilancia. Tal vez vio a la gente de la empresa hacer las nuevas instalaciones de los dispositivos.

En cuanto pensé en eso, llamé a Marina y en menos de una hora nos hallábamos en el Departamento de Policía, mirando las grabaciones de la Joyería 154 de la noche del 12 de julio. Comprobamos que Vera llegó a su casa a las siete y media y no volvió a salir, sino en la ambulancia —los Barthes fueron asesinados entre las diez y la medianoche—. También vimos a Dick Amery entrar en el edificio esa noche cerca de las diez. Allí estaba la prueba de que Vera Page no pudo matar a los Barthes. El registro contradecía su propia inculpación.

Salí del Departamento de Policía a media mañana para visitar a Vera. Había pensado ir para hacerle saber que había estudiado sus cartas y que conocía lo que le había hecho a su madre, además de su íntima relación con Hermes, pero ahora, con esta prueba de las cámaras, tal vez lograra que me hablara. Y nos ayudará a pensar quién podría estar interesado en hacerla quedar como culpable.

Marina me acompañó porque estaba tan esperanzada como yo en el efecto que podría producir en la psiquis de Vera este nuevo hallazgo.

En menos de doce minutos cruzábamos la puerta del centro psiquiátrico, pasábamos frente a la chica de los pendientes de plumas y nos escoltaba el mismo hombre malencarado que me había conducido la primera vez.

Caminamos el corredor junto al patio interno y llegamos a la habitación donde estaba Vera. El policía que resguardaba abrió la puerta.

Ella estaba sentada en idéntica posición a la primera vez que la visité, con la cabeza orientada hacia el suelo y el pelo cubriéndole la cara. Todo volvía a repetirse, a excepción de que esta vez no pensaba irme de allí hasta sacarla de su desesperante mutismo.

Necesitaba que nos dijera algo útil que nos ayudara a encontrar a Hans.

4

Entramos y nos acercamos a Vera. Nos detuvimos a menos de un metro de ella. No levantaba la cabeza. Marina vio un par de sillas de plástico que se encontraban en un rincón y fue por ellas mientras yo comenzaba a hablar.

—Vera, he conseguido las cartas de Hermes. Tú quisiste ayudarme porque me dijiste lo de «su hijo». Deseabas que las encontrara y lo hice. Pero estoy convencida de que Hermes no vive dentro de ti. Es real y tengo la prueba de que no asesinaste a Timothy y a su familia.

Levantó un poco la cabeza, como dudando si mirarme o no hacerlo. Al final decidió clavar sus ojos en mí. Aunque demacrada, pude percibir su natural belleza. Era como un animal herido, uno pequeño, tal vez un ciervo. Sentí pena por ella.

—He visto una grabación que no sabíamos que existía y, por suerte, dimos con ella. Hay una cámara que apunta hacia tu edificio y que el día 12 registra las entradas y salidas del mismo. Todas. Es imposible que hayas salido de tu apartamento a matar a los Barthes y no ser grabada por ella. ¿Lo ves? Una cosa tan simple y a la vez tan imprevista. Ese mismo día el encargado de la Joyería 154, la que está en la calle del edificio donde vives, instaló un nuevo sistema de vigilancia y comenzó a probarlo. Y por eso sabemos que no pudiste ser tú la asesina.

Sus ojos se llenaron de una luz diferente.

—¿Es verdad eso? ¿No me estás engañando? —me preguntó con la voz quebrada.

—No estoy mintiendo —le respondí.

Miró a Marina, quien ya había dispuesto las sillas cerca de mí y se había sentado.

Vera lloró en silencio. Quitaba las lágrimas de su cara una y otra vez. Era un llanto mudo.

Me senté junto a Marina y frente a la cama donde Vera se hallaba, sentada en el borde.

Esperamos unos minutos. Cuando dejó de llorar me miró.

—Hemos sabido que el doctor Philip Sheldon ha muerto hace cinco años. Nos referimos a tu psiquiatra. Hace tres años hubo un robo en sus archivos. Y como sabes, tu historia clínica estaba allí. Solo robaron la tuya, Vera. Por eso Hermes sabe tanto de ti. Tal vez también te haya acechado, vigilado de cerca. ¿Quién crees que te conozca casi por completo? Dinos un nombre, por favor —le pedí.

—Tal vez John, y Timothy, pero los dos están muertos... ellos me conocían bien. Dick es cercano, aunque no tanto; igual que Albert, que siempre ha buscado algo más de mí. Aunque a veces he tenido miedo de un profesor en la escuela Bayou, pero no debe ser él porque no podía saber tantas cosas sobre mi vida en Boise... —dijo ella.

El celular vibró en mi bolsillo. Lo tomé con la intención de no atender la llamada, pero era de Anne Ashton. No sé por qué imaginé que me iba a dar una mala noticia sobre Hans. Tal vez porque era una persona con la que se había relacionado horas antes de desaparecer. Para calmarme, me dije que Hans no podía haber aparecido en Kansas, porque él había volado a Luisiana y fue en Morgan City donde lo vieron por última vez. Así que Anne no me estaba llamando para informarme del paradero de Hans, sino para decirme algo que podía haber descubierto del rancho Mount Hope, o de Benny y su padre.

—Tengo que atender —le expliqué a Marina. Me levanté y salí de la habitación. Al hacerlo, escuché a Vera decir unas palabras.

—En el hospital San Alfonso, en Boise, me sentía vigilada y fue allí donde comencé a escribirme con Hermes. Alguien pudo haberme influido desde entonces...

Me grabé esas frases porque presentí que eran importantes y que volvería a ellas luego, mientras tanto tenía que concentrarme en lo que Anne quería decirme.

Caminé un poco más y me detuve a la mitad del corredor del patio central del psiquiátrico para atender la llamada.

5

—Hemos continuado las pesquisas en Mount Hope y hemos encontrado enterradas cerca de la caseta propiedad de Vincent Douglas, donde vivía Chad Culpepper, unas escrituras imitando las firmas de Thomas Jefferson, del escritor J. R. Kipling y de otros personajes. Pensé que eso podía ser importante. Es un hallazgo extraño... —me dijo.

Imaginé que Benny era un experto en copiar la escritura de las personas. Era el «Hermes» de las cartas de Vera, pero en realidad, ¿con qué nombre lo conocíamos? Intuía que era alguien que había estado en contacto con nosotras, pero no me convencía del todo de que fuese Amery o Preston.

—¿Es todo? —alcancé a preguntar.

—Sí. No hemos encontrado nada más. Aunque sí hay una cosa que puede que no sea importante, pero voy a decírtela. He estado haciendo seguimiento al entorno de Vera Page y relacionándolo con hechos pasados o presentes de aquí de Kansas, y he encontrado algo.

—¿Qué? —le pregunté en voz más alta. Una enfermera

que caminaba por el corredor en ese momento se quedó mirándome.

—Vera Page es familia de los Allen y ellos tenían un rancho aquí al norte de Kansas. Eran famosos por ser de los mejores cazadores y haber ganado varios premios de caza. Vera debió haber visitado ese rancho a principios de los años 80. Es muy posible, aunque no tenemos la certeza. Entonces comencé a indagar en esos años, por si había algún suceso que indicara una posible relación entre Chad Culpepper y los Allen. Encontré que uno de los Allen fue llevado a emergencias en una oportunidad durante el año 1983 por un accidente, algo relacionado con una herida de cuchillo. Hablé con el doctor que lo atendió. Ya está retirado, pero tiene muy bien la cabeza y lo recuerda todo con detalle. Del chico se acordaba porque era un Allen, ya sabes. A su juicio, no hubo nada raro en aquel accidente. Una de las personas que llevó al chico a emergencias fue Chad Culpepper, que era guardia o trabajador vecino, aunque no hay una clara confirmación sobre eso. Te digo esto aunque tal vez no sea nada…

—Sí lo es, Anne. Establece una relación entre el padre del hermano de Hans y la familia de Vera. Eso es importante.

—Seguiré indagando, pero al haber pasado tantos años, los registros y los recuerdos de las personas se hacen difusos. Los archivos en el hospital se han dañado; se almacenaban en formato físico y solo se digitalizaron algunos. En fin, como te digo, para el doctor no hay nada raro en ese accidente. No en ese. Voy a continuar investigando…

—Espera. ¿Por qué dices «no en ese»? —la interrumpí.

—Es que me contó sobre un accidente que sí le pareció raro y que sucedió ese mismo año, y que hasta el día de hoy está convencido de que no era lo que parecía.

—¿De qué se trata?

—No tiene que ver con los Allen ni con los Culpepper. Se trataba de un chico inglés.

—¿Qué chico inglés? —insistí.

—Uno que ahora es un reconocido médico. Tuvo un accidente cerca de la carretera que conduce a Mount Hope. El auto quedó destruido, pero el chico mostraba heridas que no se correspondían con el accidente. Al menos eso pensó el doctor que estaba de guardia, aunque ignoraron sus observaciones. Se trataba de un chico extranjero que estaba solo en el país.

—¿Qué quieres decir con que no se correspondían?

—Para el doctor, la persona que conducía el auto y que tuvo el accidente debía tener unos traumatismos muy diferentes a los que mostraba ese chico. Mucho peores. Piensa que pudo haber quedado vivo después del impacto, pero no con el tipo de heridas que él evaluó. Al otro día de atenderlo, vio la foto en la prensa de cómo quedó el auto y se dijo que era imposible. Pero era nuevo en el hospital y nadie le prestó atención. Decía que el chico presentaba moretones y golpes en los lugares adecuados del cuerpo, pero no con la intensidad que se esperaría. Vamos, que el doctor ha creído toda su vida que fue un paciente que simuló ir en un auto que sufrió un accidente, y para él quedaba claro que no estuvo allí.

—¿Cómo se llamaba? ¿Te ha dicho el nombre de esa persona?

Su respuesta me dejó sin aliento. Me di cuenta de que había estado a merced de un asesino. Que había rondado a Hans, a Marina, a Vera y a mí. Hasta le habíamos pedido opinión y lo habíamos considerado un aliado en la investigación. Se trataba de Benny, el hermano de Hans, que se había apoderado de la vida de otra persona.

6

—Anne, investiga todo lo que puedas de ese hecho. Vuelve a hablar con el doctor que te dijo eso. Acordona la zona donde se produjo ese accidente y busca restos humanos enterrados. Él es el asesino. Benny usurpó la identidad de ese hombre. Vamos a encontrar a Hans —le dije y corté.

Corrí adentro de la habitación donde estaban Vera y Marina.

—Ya hemos confirmado que fue Jean Fulton quien le administró la dosis de L-dopa a Vera para sacarla del estado en que se hallaba. Lo hizo por dinero, y no pudo llegar a ella antes por la vigilancia que ordenamos en el piso... —me estaba diciendo Marina cuando la interrumpí.

—René Keller es Benny. Y también Hermes. El doctor Keller tiene a Hans cautivo —dije casi sin respiración.

—¿Keller? El doctor René Keller era el jefe de Medicina Interna en el hospital San Alfonso en Boise, y trató a mi madre... —reconoció Vera, hablando y atropellando las palabras.

Lo siguiente no puedo precisarlo bien. Le expliqué de una

manera rápida a Marina lo que me había dicho Anne. Para eso tuve que admitir que sabía que Hans sospechaba de su hermano y que no le había dicho nada a ella. Si eso podía traerme consecuencias en el FBI, era lo de menos.

Sentí mucho calor en la cara, pero mis manos estaban heladas cuando terminé de hablar. Marina es una agente que se crece en la adversidad. Es resolutiva y rápida. Salimos casi corriendo de la habitación. Recuerdo que le dije a Vera que volveríamos.

En poco tiempo estuvimos en el auto. Marina llamó a alguien y pidió que llevaran unidades policiales al Hospital Central, pero sin alarma, y que esperaran a que nosotras llegáramos. También solicitó que nos enviaran un reporte de René Keller a nuestros teléfonos, con datos de ubicación, direcciones anteriores, historial laboral y todo lo que pudieran investigar de inmediato. Cualquier cosa podía sernos útil.

—¿Por qué no pensamos antes en él? —pregunté, llevándome la mano a la cabeza y sintiendo la rigidez de la gorra. Era como una armadura que no me dejaba pensar.

—No lo sé. Creo que cuando nos alertó que Vera Page residía en Boise al momento de la muerte de los Glose, fijó una línea de actuación para que nos centráramos en ella, ya que era la sospechosa más adecuada, con todo ese historial psiquiátrico y sus amoríos con las víctimas. Entonces descuidamos el hecho de que, para él saber eso, era muy posible que también se encontrara en esa ciudad en la misma época. Fue hábil y muy listo. Claro que recuerdo que en ese momento estábamos con él, Hans y yo, en el pasillo del hospital y nos dijo que fue por Albert Preston que se enteró que Vera vivía en Boise cuando murieron los Glose. Así que ahora mismo… —dijo Marina dejando la frase inconclusa.

La comprendí. Quería comunicarse con Albert Preston. Tomé mi celular y busqué la información que me habían enviado de él. Allí figuraba su número. Lo llamé y puse el altavoz cuando él atendió. Comprobamos lo que suponíamos: en ningún momento le dijo a Keller que había visto a Vera en Boise. Al contrario, le dio la impresión de que él ya lo sabía.

Cuando colgué, Marina hizo un silencio que me pareció acusador. Presentí lo que iba a decir.

—Además yo ignoraba lo del hermano de Hans y sus sospechas. No podía pensar en la conexión con el rancho en Mount Hope... —me dijo.

—Lo lamento, Marina. Es cierto que no te hablé de Benny, pero en realidad no teníamos nada en firme y Hans tampoco lo tenía. Pero ahora sabemos que se trata de él, de Benny Culpepper. Debió matar a ese chico, al verdadero René Keller. O tal vez ya lo encontraría muerto dentro del auto y fue su oportunidad para cambiar de vida y escapar. Con inteligencia, carisma y otra identidad logró convertirse en lo que hoy es.

—¿Por qué la obsesión con Vera? —preguntó Marina.

—No lo sé —respondí impaciente.

—Ha sido utilizada por él, se aprovechó de sus problemas psiquiátricos. Hay que levantar la vigilancia policial a Vera: las cámaras de la joyería la exculpan, y además ahora sabemos quién es el asesino. Ella ha sido una víctima y debería ir a su casa. Me encargaré de eso —dijo Marina.

Llegamos al Hospital Central y ya los agentes nos aguardaban en la puerta.

Keller no había ido, y había llamado para decir que no acudiría ese día al hospital. Varios agentes fueron a su casa en Nueva Orleans, pero no había ni rastros de él.

El hermano de Hans se había esfumado.

7

Marina y yo nos encontrábamos en el consultorio de René Keller. Me decía a mí misma que debía concentrarme y mantener la cabeza fría. Tenía que analizar cada centímetro de ese lugar para poder dar con algo que me condujera a él. Si no lo lograba allí, iría a su casa, pero creía más factible que hubiese cometido algún descuido en su lugar de trabajo antes que en su propia casa. Me refiero a un descuido que nos proporcionara un dato sobre una segunda propiedad en donde pudiera estar con Hans. Recordé lo que aprendí en Quantico sobre que los asesinos más inteligentes solían ser más cuidadosos de no guardar información que los inculpara en sus casas, que eran más proclives a cometer alguna imprudencia en sus espacios laborales. Me aferraba a esa idea.

Ya habíamos pedido a una doctora que solía tratar con Keller que lo llamara, pero su teléfono estaba fuera de cobertura. La última vez que había sido visto en el hospital fue dos días antes. Marina tampoco pudo localizarlo cuando visitó el hospital el día anterior. La geolocalización del celular no produjo nada. Lo ubicaba en su casa hacía cuarenta y ocho horas y no describía ningún trayecto diferente al correspondiente a la vía entre su domicilio y el Hospital Central. Pero destacaban varias horas sin datos, es decir, Keller apagaba el celular durante algunas horas del día. Imaginaba que durante ese tiempo estaba con Hans.

—¿Dónde? —me preguntaba una y otra vez.

Lo recordé en la habitación del hospital, diciéndome que estaba evolucionando bien y pareciendo empático y sensible. ¡No podía creerlo! A mí también me había engañado por completo. Debió ser él quién le habló a Hans del hermano de Vera, quien le dio el papel con el supuesto número telefónico o quien hizo que el propio Hans lo anotara.

Marina daba vueltas en el despacho y hablaba por teléfono. Cuando terminó, se dirigió a mí.

—Pidió una plaza en este hospital, sorprendiendo a todos en Boise, en la misma época en la cual Vera Page se vino a vivir aquí. Un médico del hospital San Alfonso le dijo a alguien que la muerte de una mujer llamada Miranda Valetta, sucedida años antes, le había parecido extraña. Se supone que este médico se suicidó lanzándose de la terraza de su apartamento. También ha habido un caso de coma inexplicable de una mujer llamada Jodie Morton, además del caso de la madre de Vera. Es posible que el médico «suicida» estuviese investigando a Keller.

—Es un asesino desde hace tiempo —concluí, y temí como nunca por la vida de Hans.

En ese momento me llamó Anne. Habían encontrado restos humanos cerca del rancho Mount Hope.

8

Los dos días siguientes fueron infernales.

En el consultorio no encontré nada y en casa de Keller tampoco. Sin embargo, como sabía que algunas veces pueden hallarse cosas después de mirarlas una y otra vez, tomé muchas fotos de los dos lugares con mi teléfono.

La verdad es que no teníamos idea de dónde estaba Benny Culpepper. Yo me preguntaba cuál era su plan y me respondía que tal vez estuviese considerando robar la identidad a alguien más. Ya debía saber que lo buscábamos. Pero era un hombre inteligente, decidido y muy convencido de sus habilidades. Hasta ahora todo le había salido bien porque nunca sospechamos de él. Podría pretender comenzar de nuevo bajo otra identidad tal como había hecho antes. Aún hacían los análisis en los huesos encontrados en Kansas, pero yo pensaba que lo más seguro era que se trataran de los restos del verdadero René Keller.

Fui a ver a Vera Page a su casa y le pedí que intentara hacer memoria sobre algo que no nos hubiese dicho acerca de Keller. Ella argumentó que tuvo poco trato con él. Ahora era posible que fuera acusada por el daño que le había causado a su madre. Por el momento se encontraba recuperándose en su casa, donde se sentía mucho mejor, porque se había liberado de Hermes y del estigma que le había impuesto la ciudad de ser «el asesino del lago».

Los familiares de Jodie Morton accedieron a administrarle una dosis de L-dopa, asesorados por el doctor Bonanni, y la mujer despertó. Su testimonio será central para condenar a Benny Culpepper. He leído la transcripción de sus primeras declaraciones. Describe cómo el «doctor» todos los días le hablaba y acariciaba el pelo. También le confesó haber asesinado a Miranda Valetta años atrás. Le hablaba de sus pensamientos como si fuesen amigos, y le explicaba sus dilemas. Dice que era un hombre atormentado.

Morton también ha dicho que un día Keller se despidió de ella, argumentando haber encontrado a una persona especial para él.

De solo pensar en los años que Jodie Morton estuvo condenada a la inmovilidad absoluta estando consciente, siento náuseas.

La madre de Vera también ha despertado. Ha dicho que no tomará acciones en contra de su hija.

Me invadía una sensación agridulce. Gracias a lo que descubrimos, sacamos a dos personas de un tormento inimaginable, pero el desconsuelo por no haber podido desenmascarar a Benny antes y salvar a Hans me llegaba a los huesos.

Mis manos comenzaron a temblar y entonces me di cuenta de que llevaba muchas horas sin comer. Eso me sucedió el 26 de julio en la noche. Me hallaba en la sala y Bill se había ido a descansar. Eran las diez y catorce minutos cuando miré el celular para saber la hora, y pensé que debía intentar comer y dormir un poco, pero no quería hacerlo.

—¿Por qué no puedo encontrar una pista? —me preguntaba cada vez con mayor desesperación.

Comenzó a molestarme la cabeza, sentía un escozor. Creo que los cabellos incipientes que aparecían generaban una sensación desagradable, una especie de dolor repartido en cada poro por el que afloraban. Al menos ya había perdido el miedo a quedarme sin facultades mentales o sensoriales. Había estado sometida a altos niveles de estrés desde que salí del hospital y mis capacidades no se habían visto alteradas.

Me comí una tostada y tomé un vaso de leche. Luego continué en la sala. A cada hora miraba el mensaje en el teléfono que el asesino me había escrito, como si con hacerlo fuese a descubrir algo nuevo.

La última vez que lo hice volví a mirar las fotos del consultorio y de la casa de Keller. Entonces noté algo, un objeto que se encontraba en los dos lugares. Se trataba de una crema de hidrocortisona, dos cajas. En el consultorio se hallaba en el primer cajón del escritorio, y en su casa, en el gabinete del baño.

Entonces continué mirando las fotos que tomé. Se me ocurrió que la hidrocortisona se utiliza para el alivio de los síntomas por picaduras de mosquitos. Y volvió a sonar en mi cabeza el sonido que escuché en la llamada hecha desde el teléfono de Hans. En ese momento me pareció el sonido de un insecto.

Investigué y descubrí que julio y agosto son los peores meses para navegar los canales del río Bayou y los pequeños caminos de agua que existen entre los pantanos al norte de Morgan City porque los enjambres de mosquitos son descomunales. Si Keller estaba empleando hidrocortisona, podría significar que estuviese expuesto a las picadas de esos animales, tal vez en una casa apartada en medio de esos pantanos, pero no figuraba ninguna compra de alguna propiedad diferente a su casa en la ciudad. No podíamos explorar todas las edificaciones cercanas a los ríos y canales de agua en Luisiana. Era imposible.

Fui al hospital en ese momento. Quería volver al consultorio de Keller. Pasaría allí toda la noche rebuscando entre sus papeles y mirando cada uno de sus objetos.

En un impermeable que hallé tras la puerta había una factura arrugada de una estación de servicio ubicada cerca del lago Fausse Pointe, a una hora y pocos minutos de Morgan City. La fecha era de febrero.

Fue todo lo que encontré, pero no iba a darme por vencida.

9

Morgan City, 27 de julio

AMANECÍ EN EL HOSPITAL CENTRAL. Se me ocurrió reunir a todas las personas que tenían contacto con Keller allí y preguntarles si en alguna oportunidad él les había hablado de alguna casa en las afueras de Morgan City. Las posibilidades de que eso hubiese pasado eran bajas, pero no podía quedarme de brazos cruzados.

Esperé hasta las diez de la mañana y los reuní. Eran ocho personas del departamento que dirigía Keller, entre médicos y enfermeros. Nadie sabía nada. Los dejé hablando con un par de agentes que Marina había convocado para hacer las entrevistas.

Cuando salía del despacho, vi que una mujer que se encargaba de vaciar las papeleras tenía la nariz enrojecida y los ojos llenos de lágrimas. Una de las doctoras que había estado en la reunión, y que tenía buen trato con Keller, venía detrás de mí. Ella, al darse cuenta de que me llamó la atención la empleada, se sintió en la necesidad de explicarme algo.

—Sabe que lo están buscando y que son del FBI, y teme por él. Le tiene mucho aprecio. René es especial con la gente que no tiene poder. A los que muchos suelen maltratar o ignorar, él escucha y los toma en cuenta. Yo tampoco creo que haya hecho nada malo. Es imposible... —me dijo y se fue.

Entonces pensé que quizás debía entrevistar a esa mujer. Lo hice, pero no obtuve nada de ella, más allá de elogios y buenos deseos para que todo se aclarara. Realmente no conocía nada de la vida de René Keller.

Salí del hospital y no sabía a dónde ir. Se me habían acabado los lugares donde buscar. Estaba perdida.

Dejé atrás el edificio y caminé por la calle que conducía a él, buscando un lugar donde sentarme. Encontré un banco y me acomodé ahí. Sentía una presión en la cabeza y en el cuello. Vi varios autos pasar delante de mí en dirección al hospital. Seguí con la mirada a uno de ellos hasta que se detuvo en la entrada del estacionamiento.

Un hombre de pelo cano que llevaba un uniforme azul se puso a conversar con quien conducía el auto. Hablaron durante unos minutos. Luego el conductor hizo su ingreso al estacionamiento. El hombre que estuvo hablando con él ahora saludaba a otro sujeto, que caminaba para entrar al hospital por la puerta principal.

Entonces pensé en ese empleado. Parecía muy sociable. La idea que tenía de Keller, sostenida por lo que la doctora me dijo y por los reportes que nos habían hecho llegar los analistas del FBI en Boise, era que procuraba un trato cercano con todos, y que intentaba ser amable y buen conversador. Además la doctora me había hecho pensar en algo importante: la fascinación que una personalidad narcisista tiene cuando es admirado por quienes, en el fondo, considera inferiores. Era posible que Benny hablara más de su vida con aquellos que trataba y conocía en el hospital que no estaban a su nivel. Eso no significaba que hubiese dado información sobre su vida íntima, pero tal vez en determinado momento algo se le hubiese escapado con un empleado como aquel sujeto que parecía muy popular. Con él o con alguien como él. Debía probar con camilleros, dependientes de la cafetería, mensajeros. Sabía que era como buscar una aguja en un pajar, pero tenía que intentarlo, y comenzaría por ese hombre.

Me levanté y me dirigí a buscarlo.

—Soy Julia Stein del FBI. ¿Conoce al doctor René Keller? —le pregunté.

Él me respondió que sí, porque todos lo conocían.

—Quisiera que me dijera todo lo que supiera sobre él, y si alguna vez le habló de un lugar fuera de Morgan City al cual acudiera con frecuencia —le pedí.

El hombre sonrió y me dijo que era el médico más amigable del hospital entero. Y que algunas veces conversaban sobre su hijo Brandon. El chico en una oportunidad conoció a Keller porque acompañaba a su padre en ese momento, y estuvieron hablando durante varios minutos, ya que él también deseaba ser doctor o biólogo.

El empleado del estacionamiento me relató un extracto de aquella conversación.

—Tú eres un buen padre, Wilson. Da gusto ver cómo te quiere tu hijo Brandon. ¿Le gusta pescar?, me preguntó en una oportunidad el doctor Keller. Yo le dije que nos gustaba hacerlo en el lago Fausse Pointe. Él me respondió que era el mejor lugar para pescar lubinas y que la última vez se había comido una exquisita que pescó él mismo. Después me estuvo hablando de mi hijo y de que podía buscarlo si el chico quería alguna orientación relacionada con su deseo de ser médico. Tiene una forma de hablar impresionante y es una buena persona, así que si creen que ha hecho algo malo, yo no estoy de acuerdo —completó el empleado.

—¿Cuándo fue eso? —quise saber.

—A principios del año. En estos meses de verano no se puede pescar porque los mosquitos vienen en millares detrás del agua dulce —me respondió.

Le agradecí y me despedí de él.

Pensé que no podían ser muchas las construcciones apartadas cerca del lago Fausse Pointe. No poseía nada en concreto y sabía que no podría contar con la compañía del FBI. Pensé en decirle a Marina, pero lo deseché. Desde que se enteró de que le oculté lo que sabía de Benny Culpepper, la notaba un poco más distante. Además, si no conseguía nada, no quería someterla a ese fracaso. Después de todo, yo solo contaba con el nombre del lago, con una crema para las picaduras de los mosquitos y con un recibo de compra del mes de febrero.

—Tienes razón, Benny. Algo es mejor que nada, y no voy a parar hasta encontrarte —dije en voz alta mientras pedía un taxi en la calle frente al hospital.

Llegaría a casa, tomaría el auto de Bill y me iría a buscar a Hans entre esos pantanos.

10

Conduje por la Levee Rd, salí de Morgan City y llegué al kilómetro 169. El estudio que había hecho de la zona me indicó que la casa de Benny tenía que ubicarse en esa área porque del otro lado del lago las casas se encontraban más cerca una de la otra, y eso hubiese significado un riesgo para él. Debía tratarse de las que se hallaban al margen izquierdo del río Bayou y antes de llegar al lago Dauterive. Solo eran dos edificaciones. Una que en el mapa satelital parecía más grande y una pequeña justo frente a un pantano. Opté por visitar la última. Keller no necesitaría tanto espacio.

Al llegar estacioné el auto, ocultándolo entre unos pastizales, me bajé y llamé a Marina. Le dije dónde estaba y lo que planeaba hacer. Me pidió que esperara los refuerzos que enviaría inmediatamente, pero no pensaba hacerlo. Al final decidí avisarle a Marina porque cada vez me convencía más de que estaba cerca de Benny y de Hans. El lugar me parecía perfecto para sus planes; lo suficientemente solitario para que nadie se entrometiera, pero también lo bastante cerca de

Morgan City para que pudiera ir y volver sin alterar su rutina de trabajo.

Sabía que no me hallaba en plena forma, pero estaba armada y solo quería comprobar que Hans estuviese vivo. Si lo encontraba, tal vez esperaría a los agentes en caso de que no estuviese corriendo algún peligro inminente. Además, Keller no podía tener idea de que yo estuviera tan cerca. Había tenido el suficiente cuidado de no mencionar lo de su casa frente a los compañeros del hospital, y solo se le había pasado cuidarse de Wilson al hablar de su hijo Brandon, puede que porque de manera genuina se hubiese sentido conmovido por el chico y su padre.

Tenía que cruzar un lodazal y una zona pantanosa para llegar a la edificación que no podía verse desde la vía. Lo hice con cuidado, intentando no hacer ningún ruido. No había nadie en ese lugar y el silencio era inquietante. Alguna vez escuchaba el aleteo de un pájaro. Los mosquitos comenzaron a pegarse en mi cara y a picarme. Los apartaba cada vez que podía, hasta que renuncié a ello. Eran demasiados. Después de media hora caminando pude ver la casa. Comencé a moverme más rápido hasta quedar, por fin, junto a ella.

Se trataba de una cabaña hecha de madera y un área de ventanales enormes. Desde allí podrían mirar a quien se acercara. Esperaba que, si era el lugar donde Benny tenía a Hans, no me hubiese visto llegar.

Di la vuelta a la casa. Parecía no estar habitada. Pero noté que el área cerca de la puerta no contaba con la misma película de polvo que había en el resto de la superficie de la pequeña entrada. Me asomé por los ventanales intentando tapar la claridad, poniendo mis dos manos sobre los cristales. Parecía un único espacio integrado por una sala con un sillón, un comedor con una pequeña mesa circular y una silla, y la cocina con una estantería y un lavaplatos. Sobre la mesa del comedor había una lámpara de gas.

No vi señales de que ese lugar hubiese estado habitado recientemente. Me sentí vencida. Pensé que no era allí donde estaba Hans y que mi idea de buscarlo en esa zona había sido un error. Pero entonces me di cuenta de que junto al lavaplatos había una taza y una cuchara sobre un papel mojado. Alguien había lavado esos objetos hacía no mucho.

Ni siquiera tuve tiempo de alegrarme por ese descubrimiento. Escuché un ruido. Después reconocí el sonido de una balsa de motor. La edificación quedaba en medio de una especie de laberinto de senderos de agua, así que, si se contaba con una balsa como esa desde la vía hasta allí, el tiempo de traslado podía ser de quince o doce minutos.

Corrí hacia el pastizal por el que había llegado y me acosté sobre la tierra. Levanté un poco la cabeza porque quería mirar hacia la casa. A los pocos minutos lo vi, a quien había conocido como el doctor René Keller. No había duda de que era medio hermano de Hans, porque ahora me daba cuenta de que se movía igual a él. Era el mismo hombre que me evaluaba en la habitación del hospital y que pretendía interesarse por mi salud.

Quité el seguro a mi Glock. Ya no había vuelta atrás.

11

—Ahora no me encuentro muy a gusto, Hans. He debido acabar con tu amiga Julia cuando pude hacerlo. Su empeño por encontrarte ha excedido mis expectativas. Saben quién soy y tendré que volver a empezar. Aunque eso para mí no es difícil. Si lo hice con solo diecisiete años, puedo hacerlo ahora también —le dijo Benny a Hans.

Pero esta vez Hans le respondió. Desde la mañana le había administrado una dosis de L-dopa y lo había sacado del estado de inmovilidad en el que se encontraba. Esto lo hizo porque planeaba hablar de unos temas con Hans y esperaba que pudiese responderle.

—No asesinaste a Julia porque ella no te hizo nada y no eres una mala persona —fueron las palabras de Hans.

Estaba mareado y débil, y la sensación de que la boca se le incendiaba lo había acompañado desde que despertó hacía unas horas. Se hallaba acostado en la misma cama donde había permanecido desde que Benny lo llevó allí, pero ahora estaba amarrado de pies y manos.

—Sé que no soy una mala persona —dijo Benny mientras tomaba una silla y la ponía cerca de la cama.

Se sentó y continuó hablando.

—Tenía diecisiete cuando asesiné a René Keller. Él era dos años mayor que yo, pero nos parecíamos. El adinerado Keller viajó a Estados Unidos para estudiar Medicina y pasaba por las afueras de Mount Hope cuando tuvo el accidente con el auto. Ya yo había decidido irme de allí y vi la oportunidad de hacerme pasar por él. No había nadie en la solitaria carretera y el chico estaba muy mal herido. Terminé por reventarle la cabeza con una piedra y sepulté el cadáver junto a un árbol. Luego me hice heridas a mí mismo y me senté a esperar a que amaneciera y que alguien pasara por la carretera de aquel pueblo perdido. Una pareja me llevó al hospital al amanecer.

Benny hizo silencio unos segundos. Hans pensó que estaba recordando el encuentro con esa pareja al detalle.

—Al principio pensé que usurpando la personalidad de René Keller solo iba a lograr escapar unos días, rodar un poco y ver el mundo, pero luego de matarlo analicé los documentos y su equipaje, y me di cuenta de quién era, de que estaba solo en el país, de que era un inglés con dinero y que podría sacar más provecho a la buena fortuna de haber estado allí, en esa carretera, cuando sucedió el accidente. ¡Y me convertí en el doctor Keller! —dijo y sonrió.

—¿Qué pasó con tu padre? —preguntó Hans.

—A papá lo maté antes de lo de Keller y lo enterré en el rancho Mount Hope. Cuando mamá me echó de la casa, no me quedó más remedio que buscar refugio con él. Aún vivía en Wichita, pero no fue receptivo. Me dijo que «me buscara la vida» y me dio la espalda. Además me dijo que en unos meses se iría, que lo habían contratado en un rancho en las afueras de Mount Hope porque buscaban un vigilante que viviera allí durante unos meses mientras vendían una propiedad. Dijo que la paga era buena y que no había lugar para mí. Solo podía recibirme unos meses antes de irse a Mount Hope. ¡Tú no sabes cómo era papá!

Hizo una pausa, inspiró y volvió a hablar.

—Me quedé con él y le pedí que me enseñara a disparar. Lo hacía muy bien y contaba con un rifle de caza. Era su más preciada propiedad. Me enseñó a disparar primero en una galería de tiro improvisada, disponiendo objetos a distancia, y cuando reconoció que tenía una puntería excepcional me llevó con él a la zona del norte. Ahí lo habían contratado como mentor de cacería de un grupo, en una excursión. Lo contrataron los vecinos, los Allen. Tenían un rancho cerca de una zona de caza permitida y allí cacé un ciervo. Fue la primera vez que acabé con una vida. Uno de los Allen había cazado un ciervo de cola blanca de cuarenta y nueve puntas. Fue todo un logro para la expedición y le pagaron muy bien a mi padre. Además, creo que se sintió orgulloso de mí por primera vez. Cuando fui a buscar al animal al que había disparado, lo encontré vivo, desangrándose. Iba a dispararle otra vez para que no sufriera, pero mi padre bajó la punta del rifle y me miró con desprecio: «No seas débil, que pareces una señorita», me dijo mientras el animalito agonizaba. Estaba bien porque él decía que por fin yo había hecho algo bueno, pero a la vez sentía un gran impulso por salvar la vida al ciervo y quería curarlo. Fue la primera vez que experimenté cómo dos fuerzas enormes crecían dentro de mí…

Hans sabía que el hecho de que Benny le hubiese administrado la droga que lo sacó del estado anterior significaba que Benny buscaba un desenlace, y eso podía ser peligroso para él. Su hermano había retrasado ese momento por alguna causa. Deseó con mucha fuerza que alguien pudiese rescatarlo.

—Trasladamos —continuó Benny— el cuerpo ya sin vida

del ciervo y lo llevamos al rancho de los Allen. Fue allí donde pidió que me hagan una foto junto al ciervo. Cuando estaban preparando la escena para la fotografía, vi venir a una niña pequeña corriendo. Me prendé de la chiquilla porque ella fue la única que notó que había estado llorando. La niña se acercó espontáneamente, me besó la mejilla y me sonrió con una sonrisa que a todas luces buscaba animarme. Me di cuenta de que el sentimiento que la movía, aunque apenas tuviera cinco años, era el de intentar aliviarme. Luego me tomó la mano y me dijo que no estuviera triste. El otro chico (quien en realidad era primo de la niña y no su hermano) la apartó y le dijo que no era para tanto, que los cazadores debían cazar porque esa era su naturaleza, y que si volvían sin presa eran unos fracasados. Me recompuse y atendí la exigencia de mi padre, quien me había pedido que posara para la foto con mi primer ciervo. Siempre creí que la niña era hermana de Radley Allen, pero después supe que realmente su apellido era otro. Era prima de Radley por el lado materno.

—Y ella es Vera Page, ¿verdad? —interrumpió Hans y pensó en la niña de la foto que encontró con Anne en Wichita.

—Sí. Es mi Vera. Veo que ya me has analizado y me has comprendido por completo, y eso es bueno. Por algo somos hermanos y nos parecemos. Unas semanas después, llegó el día de la separación. Me encontraba solo en el mundo y sin ningún apoyo. Miré la fotografía y sentí una rabia bestial. En ese entonces pensaba que lograría convencer a mi padre de que se quedara junto a mí, pero no fue así. Entonces decidí vengarme de todos sus maltratos. Y también me juré que aquello que había sentido al ver al animal agonizando en esos minutos interminables no volvería a ocurrir. El ciervo no tenía que sufrir tanto, todo fue culpa de Chad. Si él era un salvaje sádico, yo no lo era. No volvería a matar animales nunca más, al contrario, siempre estaría a favor de la cura, de la vida.

Estudiaría Medicina y sería el mejor de todos los médicos, salvaría a la mayor cantidad de personas posible y evitaría que otras sufrieran.

—Justo porque no eres un sádico y no eres como tu padre, tienes que soltarme y dejarme ayudarte —alegó Hans, pero no confiaba en que ese argumento funcionara con Benny. Lo veía alterado.

—Mataría a mi padre. Había que eliminar a las personas como él. De naturaleza cruel, quienes hacían del mundo un lugar miserable. Y desde ese momento mis impulsos asesinos tienen sentido solo para acabar con las personas dañinas. Lo seguí a Mount Hope y lo asesiné de un disparo con su propio rifle. Se sintió bien hacerlo. Enterré el cadáver y tomé su lugar en el rancho donde lo habían contratado, que estaba en las afueras de un caserío de apenas 813 habitantes. Caminaba diferente cuando algún camión o auto se detenían al frente del rancho. Solo debía imitar el andar de un hombre de treinta y cuatro años. No tuve que interactuar con nadie. Los propietarios del rancho habían dejado la alacena provista y la indicación de que les enviara fotografías del estado de la casa, las tierras y los animales cada quince días. Tomaba las fotos, las metía en un sobre y las dejaba en el buzón. Era un chico muy fuerte y podía con el trabajo. También era inteligente, y entre las faenas diarias me dedicaba a leer los libros que había hallado en el rancho. Encontré varios que me llamaron la atención. Sobre todo de medicina.

—Lo sé. He estado allí y encontré algún libro que dejaste con tu firma —dijo Hans.

—Le había robado la vida a mi propio padre y había acabado con la de él con su adorada arma. Me sentía un superhombre, que no necesitaba ni a su padre ni a su madre ni a su familia.

Hans supo que esto último lo había dicho con ira. En ese

momento escucharon un ruido que parecía provenir de fuera de la casa.

Benny se movió con rapidez. Hans intentó soltar las amarras de las manos, pero no lo logró. Vio como Benny llegó hasta la puerta y salió de la habitación. Rogó porque se tratara del FBI y terminar la pesadilla.

Al cabo de pocos minutos, Benny volvió.

—Tal vez un pájaro. No lo sé. De todas formas, no creo que nos encuentren aquí. Tuve mucho cuidado de no hablar de esta propiedad con nadie en el hospital. Y de comprarla sin mucha formalidad a un lugareño. De hecho, creo que aún es suya realmente y le pagué tres veces lo que vale para que ni se aparezca por aquí. Cuando lo hice, fue pensando en que algún día vendrías a vivir aquí, y lo he conseguido, porque soy una persona afortunada, o al menos lo he sido desde que me convertí en Keller. Puedes imaginar mi impresión cuando, revisando los papeles de René Keller, luego de ayudarle a morir, me di cuenta de que estaba inscrito en la Facultad de Medicina en Oregón. ¡No había mayor fortuna para mí! Entonces después de matarlo y de fingir ser él, viajé y me presenté en la universidad, mostrando los documentos de identificación de Keller. Ese era el destino del viajero extranjero. Nadie puso en duda nada. El verdadero René Keller ya había completado todos los registros de inscripción. No tardé en obtener una beca y en participar en diversos proyectos de investigación, que me generaban ingresos económicos y me propiciaban buenas relaciones. Me licencié con excelentes notas en el año 1987, con veintidós años, aunque para todos tenía veinticuatro. Desde ese entonces me obsesioné con los casos clínicos, y cuando había alguno que no lograba comprender, alguna patología compleja, podía dejar de dormir y comer hasta dar con la verdad. Era impensable para mí que algún caso clínico me venciera; siempre tenía que saberlo todo y dar la solución para la cura. Eso hizo que fuera brillante.

—¿Por qué me has despertado, Benny? —preguntó Hans.

—Para decirte que deberías estar orgulloso de mí y también ella, nuestra madre, pero por supuesto que no lo está, y es por eso por lo que te he despertado. Quería que supieras que tengo que matar a mamá.

Era lo que temía Hans que su hermano dijera.

AGUARDÉ A QUE BENNY entrara en la casa. Llegué a la parte trasera para que no pudiera verme por los ventanales. Aunque la casa solo contaba con un área de paredes de madera, la parte de atrás mostraba ventanales con unas persianas corridas. Pensé que eso era para evitar que los insectos chocaran contra el cristal, buscando la luz.

Caminé sin hacer ruido y me detuve junto a la pared de madera. Intenté escuchar algo del interior, pero no oí nada. Di un paso hacia atrás y sin quererlo me caí. Perdí el equilibrio al poner el pie en el terreno fangoso que no había identificado. Me paré lo más rápido que pude y corrí unos cuantos metros, pero luego pensé que era mejor intentar ocultarme entre los arbustos junto al lodazal. Eso hice.

No podía creer que Benny fuera a atraparme ahora…, pero pensé que pronto llegaría ayuda.

Aguardé varios minutos y no pasó nada. Decidí levantarme y volver a la casa. Razoné que tal vez fuera mejor enfrentarlo de una vez. Caminé y volví a detenerme en el mismo lugar de antes. No había señales de Benny. Di la vuelta a la casa y llegué hasta la puerta por donde él había entrado antes. Estaba abierta. Solo tenía que empujarla. Empuñaba mi arma.

Conté hasta tres para calmarme y moví la puerta.

No había nadie en ese ambiente, pero sabía que al menos él debía estar allí. No había escuchado el motor de la lancha partir.

Entonces comprendí que la casa debía poseer otra habitación en la parte que estaba recubierta. Caminé en su búsqueda. Pensé que podía ser una trampa, que ya Benny supiese que estaba allí y me estuviese observando.

13

—¿QUÉ te hizo, mamá? Ella también fue víctima de los maltratos de Chad —preguntó Hans.

—Me trató como si fuera él, y yo era su hijo. Ha tenido que protegerme, y tú lo sabes.

Hans sabía que era cierto lo que Benny decía. Eso era algo que nunca había comprendido del pasado de su madre.

—Toda mi infancia padecí una sensación de amenaza constante: al principio me decía que mamá tenía que quererme mucho para que valiera la pena aguantar todo lo que papá le hacía. Eso me convirtió por necesidad en un chico obediente, colaborador y maduro. Intentaba buscar el cariño de mamá anhelando su abrazo y su aprobación mientras mi padre estaba ausente, pero nunca sentí del todo que ella me correspondiera. Era como si no me quisiera todo lo que yo necesitaba. Como si estuviera dándole vueltas a la idea de abandonarme también cuando dejara a mi padre. Era terrible que me incluyera en el mismo saco que a él, porque me esforzaba por ser diferente y ser un buen chico.

»Me di cuenta —continuó hablando— de que ella estaba

ahorrando dinero. Había comenzado a trabajar en Happy Peas, la fábrica de alimentos congelados. Tenía la intención de dejarnos, y sospeché que tenía un amante. Apenas tenía nueve años, pero era un chico precoz y estaba aterrado. No me imaginaba la vida junto al monstruo de mi padre solamente. ¡No podría vivir así! Decidí acabar con él. Una noche busqué veneno para ratas en la casa (sabía dónde lo guardaban, porque era muy despierto y ayudaba en las tareas domésticas) y lo puse en la botella de *whisky* malo que él tomaba. Esperaba que así muriera, envenenado. Me acosté en la cama, emocionado. Sería libre al fin. Estaba justificado ese asesinato porque así mi madre y yo seríamos felices. Pero sentí miedo. Sabía que estaba mal lo que hacía y bajé corriendo a la cocina cuando escuché la puerta de la entrada de la casa. Eso significaba que ya él había llegado. En ese momento decidí evitar que se envenenara. Cuando llegué a la cocina, lo vi de espaldas sirviéndose el vaso de *whisky* y le grité que no lo hiciera. Volteó asombrado y lleno de rabia, y comenzó a insultarme. Se había servido de una nueva botella que traía consigo. Vi a mi madre de pie junto a la despensa, mirándome, con una botella de *whisky* vacía a su lado. Había comprensión en sus ojos. Ella sabía por qué había intentado matarlo; había sido por ella. No me sentí juzgado y creí que después de eso me querría más.

—No podía quererte más porque también la asustaste a ella. Se dio cuenta de que estuviste muy cerca de matar a una persona. Su hijo tenía intenciones criminales. ¿No lo ves? — refutó Hans mientras continuaba intentando soltarse.

Benny hizo como si no lo escuchara.

—Al otro día sucedió algo inesperado: mi padre se fue voluntariamente. Con la excusa de un nuevo trabajo en el norte de Kansas, nos abandonó a ambos. Los días siguientes se llenaron de un silencio de hielo. Ninguno de los dos era capaz de hablar de la botella envenenada. Yo sabía que se había dado cuenta y que tiró el *whisky* por el sumidero. Pero en el fondo esperaba que me agradeciera, y no lo hizo. Al poco tiempo supimos que papá estaba viviendo con otra mujer y no nos importó. Al contrario, fue un alivio. Entonces apareció tu padre. Con la excusa de tener mucho trabajo en la fábrica, mamá casi no pasaba tiempo conmigo, ni siquiera los fines de semana. Me hice un gran conversador y siempre que la veía, sobre todo los sábados y los domingos, intentaba hablarle sin parar de la escuela, de lo que no sabían mis compañeros y de todo lo que yo sabía, para conseguir su cariño. Era muy hábil buscando los puntos de interés para conquistarla; limpiaba la casa, arreglaba el jardín e intentaba cocinar. Le pedía que me dejara peinar su maravilloso pelo largo color ámbar. Pero ella ya tenía una persona que acaparaba toda su atención. Lo trajo a vivir a casa y a los meses naciste tú, cuando yo tenía diez años.

—Benny, suéltame, por favor. Al menos déjame sentarme. Llevo demasiados días aquí acostado —interrumpió Hans, pero Benny lo ignoró.

—Mi padrastro era mejor que mi padre porque al menos no me molía a golpes cuando llegaba borracho, y no era un sádico, pero tampoco era un buen tipo. Demostró temprano que no quería a mi madre. No comprendía cómo, después de la última pelea entre mamá y tu padre, ella, en lugar de dejarlo, había quedado embarazada otra vez. No entendía por qué no dejaba a ese hombre, y en lugar de eso seguía teniendo hijos con él.

Hizo una pausa. Hans comprendía que Benny se estaba alterando. El resentimiento contra la madre de ambos lo consumía, y también sabía que ese momento era el más peligroso de todos los que habían pasado juntos. Notaba en la voz de Benny que estaba a punto de perder el control.

—Yo te cuidaba. Me gustaba hacerlo. ¿No lo recuerdas?

—Sí... —respondió Hans.

—Un día, después de haber vivido en esa casa algunos pocos años, tu padre también se fue. Para entonces tenía quince años, y tú solo cinco. Ella lloró amargamente y yo no soporté más. Ese día le dije todo lo que pensaba: que era una mentirosa, y su apariencia de buena mujer y de conducta intachable era una farsa, porque sabía que ella se veía con ese hombre que acababa de abandonarla desde antes de que mi padre se fuera. Así descubrí que ella había decidido dejarme a mí porque más le importaba su vida que la de su propio hijo. Y también porque estaba liada con ese hombre que la terminó dejando como si fuera un trapo viejo. Era una cobarde a la cual los hombres dejaban siempre. Una bruta zorra incapaz de hacer bien las cosas pensando en la gente que la quería y que valía la pena. Era mentira que se había sacrificado por mí al vivir con papá; y solo lo decía para conseguir la aprobación de sus amigas del pueblo, pero a mí no podía engañarme porque la conocía.

»Entonces ella reaccionó —continuó— y me dijo que yo le debía la vida, porque si no hubiese sido por su intervención mi padre me hubiese matado a golpes, porque el veneno para ratas en una botella de *whisky* no podría engañar a nadie. También me confesó que era verdad que iba a abandonarme porque su vida con papá era un infierno. Y yo pertenecía a ese mismo pozo oscuro en el que se había convertido su existencia. No podía perder la oportunidad que tenía para ser feliz con su nuevo novio. No logré contenerme después de escucharla y estallé. Busqué un cuchillo en la cocina y me abalancé sobre ella, quería matarla...

—Esa es la herida que tiene en el brazo, ¿verdad? ¿Fuiste tú? Ella nunca quiso decirme cómo había sido... —interrumpió Hans.

—Sí. Fui yo. Su sangre cayó sobre mi ropa y ella gritó. Me llamó asesino. Puse el cuchillo en su cuello y también grité, pero no pude matarla, y me fui a la calle. En la noche volví y no dijo nada. No volvimos a hablarnos. Todo entre nosotros estaba roto. Me veía como a un monstruo. Por eso me fui de casa, aunque esperaba que ella me buscase. Por supuesto que no lo hizo. Nunca me quiso y esa es la verdad.

—Ahora puedes entender que mamá no podía decidir bien y que ella también fue una víctima de tu padre y del mío. ¿O es que no lo ves? —se atrevió a decir Hans.

Esas palabras desataron la furia de Benny.

—¡Y continúas defendiéndola! ¡A pesar de todo lo que he explicado! —gritó y se levantó de la silla.

Hans intentaba en vano soltarse las amarras.

Benny caminó unos pasos y tomó un mazo que se hallaba en esa habitación, en una mesa de trabajo, y volvió con él. Dio un golpe fuerte en el tobillo del pie derecho de Hans.

Julia escuchó un grito desde la habitación contigua.

Benny soltó el mazo en el piso y buscó de prisa, en el cajón de la mesa de las herramientas, un bisturí oxidado. Se acercó a Hans y se inclinó, poniendo el filo del bisturí sobre el cuello de su hermano.

En ese momento escuchó que alguien le ordenaba que se detuviera.

14

—Si das un paso más, lo mato —respondió Benny a Julia, quien se hallaba en el umbral de la puerta de la habitación que antes no había visto, junto a un cuadro que mostraba una casa y un lago.

—Te estoy apuntando. En pocos minutos vendrán más agentes. Ya no puedes escapar. Piénsalo bien y deja a tu hermano —dijo ella.

—O sueltas esa arma en este momento o lo mato. Y sé que te importa su vida, así que no te equivoques —respondió Benny.

Para convencerla, hincó el bisturí en la piel de Hans y Julia vio un hilo de sangre correr por su cuello. Ella no sabía qué hacer: si bajaba el arma, Benny tendría el control y podría matar a Hans de cualquier manera; y si no lo hacía, también. Sin embargo, decidió lo primero y soltó el arma.

—Muy bien. Te felicito por esa decisión. Ahora vas a patearla para que quede fuera de tu alcance.

Obedeció. Enseguida vio como Benny se abalanzaba sobre ella y sintió miedo.

Él tenía el bisturí y ella no se sentía capaz de luchar. Lo intentó. Hizo un esfuerzo por apartar los brazos de Benny, pero fue en vano. Sintió una herida en la mano. Había puesto la palma abierta para defenderse mientras Hans gritaba que no lo hiciera.

—He debido disparar directo al centro de tu cráneo —susurró Benny con los ojos encendidos de odio.

Hans intentaba convencer a Benny de que la dejara vivir. Le gritó que su venganza era con él y no con ella.

Julia aprovechó el descontrol que notó en Benny cuando escuchó a Hans para darlo todo, intentando hacerle perder el bisturí que ya la había herido una vez. Este voló por los aires. Hans continuaba gritándole a Benny una y otra vez, aunque Julia no entendía lo que decía.

En ese momento recibió un golpe en la cara y no logró defenderse. Ahora Benny le puso ambas manos sobre el cuello.

Julia perdía el aire, no podía hablar, recordó a Frank, a Richard... era el fin.

No se arrepentía porque había decidido salvar la vida de Hans, y él habría hecho lo mismo.

Su espalda tocaba el piso y Benny estaba sobre ella. En un último intento de sobrevivir, alargó las manos tanteando el suelo, pero no había nada con lo cual pudiera defenderse. Se sintió morir.

De pronto se escuchó un disparo, Benny se apartó con violencia y emitió un grito de dolor parecido al de un animal. Cayó al piso.

Julia se movió sin levantarse y se alejó, tosiendo. Logró ver a Vera Page con un arma entre las manos.

Era ella quien acababa de dispararle a Benny Culpepper.

15

No podía creer que Vera me hubiese salvado. Tampoco sabía cómo había logrado llegar allí.

Escuché ruidos afuera. Di la voz de alarma para que supieran que estábamos allí y corrí a ver a Hans. No mostraba ninguna herida más allá de la del cuello.

—Estoy bien, Julia —fueron sus palabras. Vi lágrimas en sus ojos.

Me volteé a mirar a Vera. Ella, aún con el arma en la mano, observaba a Benny en el piso.

Entraron dos hombres armados y luego dos más. Vera tiró el arma al suelo y se quedó abstraída, mirando a Benny.

—Suéltame —me pidió Hans.

Intenté hacerlo, pero las amarras eran fuertes. Tomé unas tijeras que encontré en una mesa de herramientas cercana a la cama donde Hans estaba amarrado. Uno de los hombres me ayudó a liberarlo.

Fue cuando escuché la voz de Marina.

Hans intentó levantarse, pero sus piernas no respondían.

Entonces, desde la cama miró a donde yacía el cuerpo de Benny.

Yo también lo vi moverse y me di cuenta de que estaba consciente.

Nunca voy a olvidar las palabras de Hans.

«Vas a ponerte bien, Benny. Esta vez no vamos a abandonarte».

16

Recibí en la puerta a Hans y a Fátima. Acababan de llegar a la casa que Bill rentó en Morgan City y que al otro día dejaríamos.

Di un abrazo a Hans. Me hacía feliz verlo recuperado. Era como si para mí todo volviese a estar bien.

—Ya estamos a mano, tú me salvaste una vez y ahora… —le dije de forma inconclusa al apartarme de él.

Volví a sentir su olor a lima. Era la primera vez que nos veíamos después de su rescate.

—Lo sé —me dijo, hizo una corta pausa y siguió—. Te queda bien el pelo bastante corto —sentenció y sonrió.

Eso me hizo gracia porque sabía que era mentira. Pero ya había superado mi nueva apariencia. Comparado con la situación de peligro que había vivido, no tener el pelo largo era un mal menor.

Además había logrado cierta fama en el FBI. «La agente que había dado con el paradero del veterano Hans Freeman». Esa era yo, a la que todos reconocían por llevar la cabeza rapada. Pero no me quedé con toda la gloria yo sola, por supuesto. Reconocí que el apoyo de Marina Toole había sido clave. Ahora mismo la esperaba, porque también la había invitado a casa.

Fue Marina quien me aclaró más temprano que Vera logró dar con la dirección de la casa de Benny gracias a Dick Amery. Él se quedó con una carta de Hermes, no las entregó todas cuando fuimos a su casa. Tal vez quería sacarle provecho, pero Vera lo llamó cuando supo que Hermes era un hombre de carne y hueso, que se trataba del doctor René Keller. Amery debió sentir remordimientos y fue al encuentro de Vera. Además le llevó la carta. En ella Hermes menciona una propiedad cercana al lago Fausse Pointe, antes de llegar al lago Dauterive, donde sabía que se pescaban unas lubinas fabulosas. El mismo Amery se ofreció para acompañar a Vera, pero ella quiso ir sola. Se trataba de su venganza personal ante el hombre que casi la hace enloquecer y que logró meterse en su cabeza para convencerla de que ella era una asesina.

No creo que Vera pueda perdonar lo que Benny le hizo. Hasta se colaba en su casa cuando ella no estaba y era el responsable de esos comportamientos extraños que los vecinos denunciaban. Se aprovechó de su vulnerabilidad.

En cambio, Hans ya lo había perdonado. Estaba relajado, sonriente. Nunca lo había visto así antes.

Hubo un momento, esa noche, que sentí unos enormes deseos de desprenderme de la gorra que Bill había buscado para mí. Y eso hice. Me la quité mientras sonaba *All For You* de Sister Hazel. Bill, además de excelente cocinero, tiene un gusto musical envidiable.

Hans se quedó mirándome. Era el único que lo hacía en ese momento, y notó que ese simple hecho de quitarme la gorra era a la vez un gran acto de liberación. Es increíble como un fuerte vínculo logra que una persona te comprenda como ninguna otra.

—«No permitas que el presente te impida creer en el futuro» —le dije sonriendo, pasando la mano por mi cabeza, y sintiendo como mi naciente melena apenas aparecía.

—Ni tampoco el pasado —me respondió él y levantó la jarra de cerveza que tenía en la mano.

—¿Por qué le dijiste que no lo abandonarías? No creerás que alguien más es responsable de sus actos. Me refiero a ti, por ejemplo. Eras un niño…

—Lo sé. Es un asesino. Pero también fue un chico al que nadie quiso acompañar. Casi nunca es tan simple…

Asentí y Hans me sonrió. Se daba cuenta de que yo también lo comprendía bien.

—Eres buena, Julia Stein, y siempre lo supe, desde la primera vez que te vi, intrigada, cuando mirabas la foto de tu amiga Gail —reconoció Hans.

—Parece un siglo de eso —comenté.

—Es verdad, pero todavía nos queda mucho por hacer… —me respondió.

NOTAS DEL AUTOR

Espero hayas disfrutado la lectura de esta novela.

Si te gustó mi obra, por favor déjame una opinión en Amazon. Las críticas amables son buenas para los autores y los lectores... y un estudio reciente (realizado por mi persona) también indica que escribir una opinión positiva es bueno para el alma ;)

¿Sabías que ahora también puedes disfrutar de mis historias en audiolibros? Te invito a gozar de esta experiencia con mi relato *Los desaparecidos*. Escúchalo **gratis** aquí: https://soundcloud.com/raulgarbantes/losdesaparecidos

Puedes encontrar todas mis novelas en mi página web: www.raulgarbantes.com

Finalmente, si deseas contactarte conmigo puedes escribirme directamente a raul@raulgarbantes.com.

Mis mejores deseos,
Raúl Garbantes

amazon.com/author/raulgarbantes

goodreads.com/raulgarbantes

instagram.com/raulgarbantes

facebook.com/autorraulgarbantes

twitter.com/rgarbantes

Made in the USA
Las Vegas, NV
02 August 2021

27404550R00177